BESTE VRIENDINNEN

Voor Scarlett, Fergus en Phoebe

JACQUELINE WILSON

Beste vriendinnen

Met illustraties van GEORGIEN OVERWATER
Vertaling: ANNEMIE BOONEN

Hillen
Davidsfonds/Infodok

Wilson, Jacqueline
Beste vriendinnen

Voor de oorspronkelijke uitgave:

Oorspronkelijke titel: Best Friends
Oorspronkelijke uitgever: Doubleday, Londen

Uitgeverij Hillen BV
W.G. Plein 512
1054 SJ Amsterdam
www.hillenboeken.nl
Vertaling: Annemie Boonen
Omslag- en binnenwerkillustraties: Georgien Overwater
ISBN 90 76897 00 X
ISBN-13: 978 90 76897 00 4
NUR 283

Davidsfonds Uitgeverij NV
Blijde-Inkomststraat 79-81, 3000 Leuven
D/2006/2952/86

Emma
Alice

Een

Alice en ik zijn beste vriendinnen. Ik ken haar al heel mijn leven. Echt waar. Onze moeders lagen samen in het ziekenhuis bij onze geboorte. Ik kwam eerst. Op drie juli, om zes uur 's ochtends. Bij Alice duurde het eeuwen. Zij werd pas om vier uur 's middags geboren. We kregen allebei een uitgebreide knuffel van onze moeders. En 's nachts werden we naast elkaar in piepkleine wiegjes gestopt.
Alice zal wel bang geweest zijn. Ze huilde vast. Ze is eigenlijk nog steeds een huilbaby, maar ik probeer haar daar niet mee te plagen. Ik doe altijd mijn best om haar te troosten.
Ik durf te wedden dat ik die eerste dag ook al tegen haar aan kletste. Waarschijnlijk zei ik: 'Hoi, ik ben Emma. Geboren worden is best raar, hè? Alles goed met je?'
En Alice zei: 'Ik weet het niet zeker. Ik ben Alice. Ik denk niet dat ik het hier leuk vind. Ik wil mijn mama.'
'We zien onze mama's snel. En dan krijgen we eten. Ik *sterf* van de honger.'
Als er een kans was geweest dat we meteen te eten hadden gekregen, had ik ook wel gehuild. Om helemaal eerlijk te zijn: ik denk dat ik nog steeds een beetje gulzig ben. Niet zo gulzig als Koekie. Hij heet eigenlijk Billy McVitie, maar iedereen noemt hem Koekie. Zelfs de leraren. Hij zit bij ons in de klas en hij heeft een ongelooflijke eetlust. Hij kan een heel pak chocoladekoekjes achter elkaar opeten in precies twee minuten.

We hebben een keer een grote Koekiewedstrijd gehouden tijdens de pauze. Ik kreeg maar driekwart van een pak op. Misschien had ik ook wel een heel pak op gekund, maar er schoot een kruimel in het verkeerde keelgat en ik verslikte me. Ik eindigde met mijn witte uniformbloes vol bruine kwijl van chocola. Maar dat is niet nieuw. Ik zie er altijd een beetje vies en slordig uit. Alice blijft er altijd keurig en beeldig uitzien.

Toen we nog peuters waren, was er altijd *eentje* van ons die meteen in de vuilnisemmer kroop en moddergevechten hield in de tuin en in de vijver viel als we de eendjes voerden. De *andere* zat keurig in haar buggy met haar beer in haar armen en giechelde om haar ondeugende vriendinnetje.

Toen we naar de kleuterklas gingen, speelde *een* van ons brandweerman in de watertank en mol in de zandbank. Ze hield het niet bij vingerverven, ze maakte er lichaamsverven van. De *andere* zat rustig aan een snoezig tafeltje en maakte kralenkettingen (een voor elk van ons). Ze zong *Hansje Pansje Kevertje* met alle schattige gebaren erbij.

Toen we naar de lagere school gingen deed *een* van ons of ze een wilde was en brulde zo hard dat ze de klas werd uitgestuurd. Ze raakte ook in een gevecht verwikkeld met een grote jongen die chocola van haar beste vriendin had afgepakt. En ze *bezorgde hem een bloedneus*! De *andere* las de eerste lees-

boekjes en schreef in haar keurige handschrift verhalen over een klein plattelandshuis met een strodak.
In de bovenbouw rende *een* van ons zomaar de jongenstoiletten in omdat ze werd uitgedaagd. Dat deed ze, echt, en iedereen gilde tegen haar. Ze klom ook langs de regenpijp op het speelplein omhoog om haar bal terug te halen – maar halverwege kwam de regenpijp los van de muur. Ze vielen allebei *pats-boem* naar beneden. Meneer Beaton, de directeur, was NIET blij.
De *andere* werd benoemd tot mentor en bij het schoolfeest droeg ze een glanzend zilveren topje (dat paste bij de zilveren glitter op haar oogleden). Alle jongens wilden met haar dansen. Maar *raad eens*! In plaats daarvan danste ze de hele avond met haar ondeugende beste vriendin.
We zijn beste vriendinnen, maar we lijken helemaal niet op elkaar. Dat zal wel duidelijk zijn. Ik heb het al zo vaak gezegd. Mama zegt het ook. Ook vaak.
'In hemelsnaam Emma, kun je niet een keer ophouden zo ruw en dwaas en jongensachtig te doen? Echt zoals een *jongen*. En dan te bedenken dat ik zo blij was toen ik een meisje kreeg. Maar nu is het net of ik drie jongens heb – en jij bent de grootste herrieschopper van jullie alledrie!'
Mijn grote broer Max is zeventien. Max en ik waren vroeger goede vrienden. Hij leerde me skateboarden en hij liet me zien hoe ik als een bom in het zwembad kon duiken. Elke zondag balanceerde ik achter op zijn fiets en dan zigzagden we naar mijn opa. Maar nu heeft Max een vriendinnetje, Ayesha. En het enige wat ze doen is elkaar in de ogen kijken en kussie-kussie-kussie. Jakkes.
Alice en ik bespioneerden hen. Op een keer volgden we hen

naar het park om te zien of ze nog meer vieze dingen deden. Maar Max betrapte ons. Hij hield me ondersteboven en schudde me door elkaar tot ik misselijk werd.
En dan is er mijn andere broer, Jasper, maar die is lang niet zo grappig als Max. Jasper is vreselijk intelligent. Zo'n zwoeger dat hij voor ieder examen de beste is. Jasper heeft geen vriendinnetje. Hij komt niet genoeg buiten om er een te leren kennen. Meestal houdt hij zich schuil in zijn kamer, waar hij over zijn boeken gebogen zit. Hij gaat wel heel laat 's avonds wandelen met onze hond, Dolle Hond. En hij draagt graag zwarte kleren. Hij houdt bovendien niet van knoflookbrood. Misschien verandert Jasper wel in Dracula. Jacula! Ik zal eens kijken of zijn tanden niet verdacht lang en puntig worden.
Het is vervelend om zo'n broer als Jasper te hebben. De leraren hopen soms dat ik ook vreselijk intelligent ben en de hele tijd tienen haal. Het zou me wat!
In *sommige* dingen ben ik wel goed. Meneer Beaton zegt dat ik de achterste poten van een ezel eraf kan kwebbelen – en zijn voorste poten en zijn oren en zijn staart. Hij zegt dat ik me ook kan gedragen als een ezel. Ezels schoppen als je niet uitkijkt. Ik heb *vaak* zin om meneer Beaton te schoppen.
Ik heb ontzettend veel ideeën en ik werk de dingen razendsnel uit in mijn hoofd, maar het is zoooo vervelend om ze allemaal uit te schrijven, dus doe ik dat vaak gewoon niet. Of ik vraag Alice om het allemaal voor me op te schrijven. Alice haalt veel betere cijfers dan ik, voor alle vakken. Behalve voor voetbal. Ik wil niet opscheppen, maar ik zit in het voetbalteam van de school, ook al ben ik de jongste en de kleinste en het enige meisje.
Alice houdt helemaal niet van sport. We hebben heel verschil-

lende hobby's. Zij houdt ervan meisjes in feestjurken te tekenen. Ze schrijft met haar speciale pennen in haar dagboek, ze lakt haar nagels in allemaal verschillende kleuren en ze speelt met haar sieraden. Alice is dol op sieraden. Ze bewaart ze in een speciaal kistje dat vroeger van haar oma was. Het is van blauw fluweel en als je de veer opwindt en het deksel opent, danst een kleine ballerina in het rond. Alice heeft een gouden hartje aan een ketting en een piepklein gouden armbandje dat ze als baby droeg. En een jade hangertje van een oom in Hongkong en een zilveren medaillon. En ook een fonkelende broche in de vorm van een Schotse terriër en een armband met tien tinkelende bedeltjes. Mijn lievelingsbedeltje is een kleine zilveren ark van Noach. Je kunt hem openmaken en dan zie je binnenin minuscule giraffen en olifanten en tijgers.

Alice heeft ook bergen ringen: een Russische ring van echt goud, een Victoriaanse granaat en een heleboel nepringen uit knalbonbons. Ze heeft me een grote glanzende zilver-met-blauwe ring als vriendschapsring gegeven. Ik vond hem prachtig en ik noemde hem 'mijn saffier'. Alleen vergat ik hem af te doen toen ik ging zwemmen. Het zilver werd zwart en de saffier viel eruit.

'Typisch,' zuchtte mama.

Ik denk dat mama soms wilde dat ze bij onze geboorte de wiegjes had gewisseld. Ik weet zeker dat ze veel liever Alice als dochter zou hebben. Dat zegt ze niet, maar ik ben niet gek. *Ik* zou ook liever Alice als dochter hebben.

'Ik niet,' zei papa, en hij woelde door mijn haar dat overeind ging staan. Nou ja, waarschijnlijk stond het al overeind. Mijn haar ziet er altijd uit alsof er stroom op staat. Mama wilde dat ik het liet groeien, maar ik verloor voortdurend mijn stomme strikken en speldjes. En toen ik met Koekie en de andere jongens meedeed aan die kauwgom-bellen-blaas-wedstrijd, werd mijn haar plakkerig. Het klitte samen en *hoera hoera* – het moest geknipt. Mama huilde, maar ik vond het helemaal niet erg.

Ik weet dat je in je familie geen favorieten hoort te hebben, maar ik denk dat ik meer van papa houd dan van mama. Ik zie hem niet zo vaak, want hij rijdt met de taxi. Hij vertrekt vaak al voor ik wakker word, om mensen naar het vliegveld te brengen. En hij moet dikwijls 's avonds laat nog weg om mensen uit het café te halen. Als hij thuis *is*, ligt hij graag op de bank voor de televisie een dutje te doen. Heeeeele lange dutjes, maar als je je alleen voelt, kun je dicht tegen hem aankruipen. Dan geeft hij je een klopje en mompelt 'hallo kleine knuffel,' en daarna valt hij weer in slaap.
Vroeger reed opa met onze taxi. Nu is hij met pensioen, maar af en toe helpt hij nog als het autoverhuurbedrijf een extra chauffeur nodig heeft. Het bedrijf heeft een witte Rolls Royce voor huwelijken en opa nam me een keer stiekem mee voor een ritje. Hij is geweldig, mijn opa. Misschien is hij wel mijn absolute favoriet in de familie. Hij heeft altijd voor me gezorgd, sinds ik een baby was. Mama begon weer voltijds te werken toen opa met pensioen ging, dus werd hij mijn oppas. Hij komt me nog steeds van school halen. Dan gaan we naar zijn flat, helemaal boven in het torengebouw. Als je uit opa's raam kijkt, zie je de vogels voorbijvliegen. Betoverend, gewoon! Op een heldere dag kun je mijlenver kijken en zie je voorbij de stad de bossen en de bergen van het platteland. Soms vernauwt opa zijn ogen tot spleetjes en doet hij alsof hij

door een telescoop tuurt. Hij zweert dat hij helemaal tot aan de zee kan kijken, maar ik denk dat dat een grapje is. Hij maakt vaak grapjes, mijn opa. En hij bedenkt ook gekke namen voor me. Ik ben zijn kleine Suikerkoekie. Hij geeft me altijd kleine suikerkoekjes: poppenkoekjes met heerlijke witte en roze en gele bevroren suiker.

Dat ergert mama als ze me komt halen. 'Ik zou willen dat je haar niet te eten geeft,' zegt ze tegen opa. 'Ze krijgt eten zodra ze thuiskomt. Emma, zorg dat je je tanden goed poetst. Ik hou er niet van dat je al dat suikergoed eet.'

Opa zegt altijd dat het hem spijt, maar achter de rug van mama draait hij met zijn ogen en trekt een gek gezicht. Dan begin ik te giechelen en dat ergert mama nog meer.

Soms denk ik dat mama zich aan *iedereen* ergert. Aan iedereen behalve aan Alice. Mama werkt op de make-upafdeling van de supermarkt. Ze geeft Alice altijd staaltjes verzorgingsproducten en kleine lippenstiften en parfumflesjes. Op een keer – toen ze echt in een goed humeur was – liet ze Alice aan haar toilettafel zitten en maakte ze haar op als een echte dame. Ze maakte mij ook op, maar ze werd boos omdat ik niet stil kon zitten (het kriebelde ook zo). Mijn ogen gingen jeuken en ik wreef erin en toen zat er overal zwarte mascara en leek ik op een panda.

De make-up van Alice bleef de hele dag keurig zitten. Haar roze lippenstift liep zelfs niet uit bij het eten. We aten pizza, maar ze sneed de hare in piepkleine hapklare stukjes, in plaats van een heerlijk grote punt in haar mond te proppen.

Als Alice niet mijn beste vriendin was, zou ze me vast af en toe op de zenuwen werken. Zeker als mama haar zo betuttelt en dan naar mij kijkt en diep zucht.

Maar goed, het is geweldig dat mama Alice leuk vindt, want ze vindt het nooit erg als Alice bij ons komt logeren. Mama heeft grote slaappartijtjes voor altijd verboden. Max vindt dat niet erg, want de enige persoon die hij te logeren wil, is Ayesha. Jasper vindt dat ook niet erg. Hij heeft een paar suffe zwoegerige vrienden uit zijn klas, maar ze zien elkaar nooit echt. Ze e-mailen en sms'en alleen met elkaar.
Behalve mijn beste vriendin Alice, heb ik een heel stel gewone vrienden. Op mijn vorige verjaardag heb ik drie jongens en drie meisjes uitgenodigd voor een slaapfeestje. Alice stond natuurlijk boven aan de lijst. We moesten eigenlijk in de tuin spelen, maar het regende. Dus deden we met zijn allen een te gek voetbalspel met een kussen in de woonkamer (of eigenlijk niet echt met zijn *allen*, Alice wilde niet meedoen en Koekie is waardeloos in spelletjes). Iemand brak een duur porseleinen beeldje van Lladro, een huwelijkscadeau van mijn moeder, *en* het kussen barstte open. Mama was zo boos dat ze iedereen naar huis stuurde. Niemand mocht blijven slapen. Behalve Alice.
Ik mag nog steeds slaappartijtjes-voor-een-speciale-vriendin geven, zolang Alice die vriendin is. En dat is dus echt echt echt geweldig omdat – zoals ik vast al heb gezegd – Alice mijn allerbeste vriendin is.
Ik weet niet wat ik zonder haar zou moeten beginnen.

Twee

Ik weet niet wat ik moet doen. Ik maak me zorgen. Er is iets vreemds aan de hand.
Iets met Alice. Ze heeft een geheim en ze vertelt het me niet. We hebben nog nooit geheimen gehad voor elkaar.
Ik heb Alice allerlei dingen verteld. Zelfs vreselijk pijnlijke dingen, zoals toen ik *dacht* dat ik mijn huis wel zou halen nadat ik bij McDonalds twee grote cola's en een milkshake had gedronken zonder te gaan plassen. Alice weet ook dat ik niet graag slaap zonder mijn nachtlampje dat de vorm heeft van een konijnenhuis, omdat ik eigenlijk niet zo erg van het donker houd. Toen opa naar het ziekenhuis moest voor een operatie, vertelde ik Alice dat ik bang was dat hij niet meer beter zou worden. Gelukkig herstelde hij snel.
Alice heeft me ook altijd haar geheimen verteld. Ze vertelde me dat haar moeder en vader vreselijke ruzie maakten omdat haar vader teveel had gedronken op een feestje. Ze vertelde me hoe ze ooit een chocoladetoffee had gestolen uit een videowinkel. Hij lag op de grond, dus misschien was het afval. Dat hoopte ze – maar toch was ze bang dat ze een dief was. Ze was zo on-

gerust dat ze hem zelfs niet op durfde te eten. Ik at hem voor haar op, omdat ze dan zou stoppen met zich er zorgen over te maken.
Ze heeft me hopen dingen verteld. Maar nu heeft ze een geheim. Ze weet niet dat *ik* weet dat ze een geheim heeft. Ik heb het ontdekt op een foute manier. Ik heb haar dagboek gelezen.
Ik weet dat je nooit iemands dagboek mag lezen. Zeker niet dat van je beste vriendin. Ik heb eigenlijk wel een paar keer stiekem in het dagboek van Alice gekeken. Niet om gemeen te doen, of achterbaks. Het is gewoon zo spannend om te ontdekken wat ze denkt, alsof je door een klein raampje in haar hoofd naar binnen kunt kijken, naar haar brein. Het is vaak heel leuk omdat ze zoveel over *mij* schrijft.

Emma was vandaag in de klas zo grappig dat zelfs mevrouw Watson begon te lachen. Emma en ik hebben ons eigen stripverhaal over de dieren in de Ark van Noach verzonnen. De giraffen kwamen te plotseling overeind en maakten een gat in het dak en het regende hard, maar de olifant spreidde zijn oren om Noach en zijn familie droog te houden. Em heeft altijd zulke leuke ideeën.
Ik baalde vandaag op school omdat ik van mama dat suède jasje niet mocht hebben dat we zaterdag hadden gezien. Maar Emma deelde haar chocola met me en ze zei dat ze zoveel suède jasjes voor me zal kopen als ik wil – zodra we groot zijn.

Ik vind het geweldig dat ze pagina na pagina beschrijft hoe grappig en vindingrijk en lief ik ben. Ik vind het geweldig dat

ze een leuke foto van ons tweeën – met onze armen om elkaars schouder – voor op haar dagboek heeft geplakt. Met een zilveren pen heeft ze er een kader omheen getekend en daarna heeft ze de pagina versierd met haar lievelingsstickers van bloemen en dolfijnen en poezen en ballerina's.

Daarom keek ik gisteren heel heel even in haar dagboek. We hadden samen een leuke middag gehad. We hadden een tekening gemaakt van de flat die we zouden delen als we oud genoeg waren. Alice leek daar eerst wat moeilijk over te doen. Ik dacht dat dat gewoon kwam doordat ze niet zo goed kan tekenen als ik.

Ze fleurde op toen ik zei dat we dingen uit mama's tijdschriften konden knippen. Ze vond het leuk om twee dezelfde bedden voor ons te zoeken en uit te knippen. En een grote zachte fluwelen bank en een reusachtige koelkast en een groot wit tapijt met lange haren. Ze begon kleine felgekleurde zeshoekjes uit de tijdschriften te knippen om er patchwork dekbedden van te maken en bijpassende kussens voor op de bank. Ik vond het heerlijk om bergen eten uit te knippen om in onze koelkast te stoppen. Sommige potten roomijs en chocolade moorkoppen waren zo groot dat ze tot op de grond kwamen. Stel je voor: een pot roomijs die zo groot is dat je je hele hoofd erin kunt stoppen om te proeven. En chocolade moorkoppen die zo groot zijn dat je er schrijlings op kunt gaan zitten (je broek zou misschien wel plakkerig worden). Toen tekende ik ogen en oren en een snuit en vier poten op het witte harige tapijt zodat het veranderde in een echte levende ijsbeer die we konden knuffelen en waar we om beurten op konden rijden.

Alice *ergerde* zich een beetje. 'Ik dacht dat we dit netjes gingen doen, Em. Je rommelt maar wat aan,' zei ze. En daarbij ging haar kleine roze mond open en dicht op het ritme van haar schaar.

Ik ergerde me ook een beetje omdat zij er tijden over deed om alle kleurige stukjes van haar patchwork een plek te geven en er een figuur van te maken. Alice ergerde zich nog meer toen mijn neus jeukte en ik niesde en alle stukjes wegblies voor ze ze had kunnen vastplakken.

Maar zo gaat dat nu eenmaal tussen ons, gewoon Alice-en-Emma gedoe. Het was geen echte ruzie. We hebben nooit echte ruzies. We hebben onze vriendschap nog nooit verbroken, zelfs niet voor een halve dag. *Dus waarom vertelt ze me dat vreselijke geheim niet?*

Wil ze niet meer dat ik haar vriendin ben? Ze gedroeg zich echt een beetje eigenaardig aan tafel. Het was een speciale maaltijd, hoewel we gewoon met z'n drieën waren: mama, Alice en ik. Papa was aan het werk. Hij reed met de taxi. Max was naar Ayesha en Jasper kreeg een bord boven, in zijn kamer, omdat hij niet achter zijn computer vandaan wilde komen. Wij aten mama' speciale spaghetti bolognese en daarna fruitsla met van die heerlijke slagroom uit een spuitbus en *daarna* elk een

handvol smarties. Ik koos alle blauwe en Alice haalde er alle roze uit.
Ik at alles op. Ik likte zelfs mijn bord leeg toen mama even niet keek. Alice at helemaal niet veel. Ze doet meestal wat moeilijk met eten, maar ze is net zo dol op spaghetti en fruit en slagroom en smarties als ik. Dit was duidelijk een slecht teken. Ze wilde zelfs niet meedoen met een wedstrijd 'wie-kan-het-eerst-zijn-spaghetti-opslurpen'. Toen mijn bord helemaal leeg was, zat Alice nog steeds in gedachten verzonken haar spaghetti om haar vork te draaien. Maar eigenlijk *at* ze er niet van.
'Ik eet de jouwe wel op, als je wilt,' bood ik aan – gewoon om te helpen.
'Je laat het bord van Alice met rust, Emma!' zei mama boos. 'Alleen maar omdat jij je bord in twee minuten leeg schrokt! Je hebt echt de tafelmanieren van een gorilla.'
Ik begon als een aap rond te springen, op mijn borst te slaan en met mijn lippen te smakken. Tot mama boos werd. Dat vond ik niet echt eerlijk, want zij was begonnen over die gorilla.
De spaghetti van Alice was intussen ijskoud, dus haalde mama het bord discreet weg. Alice at een beetje fruitsla. Ze deed er maar één toefje slagroom op. Ik spoot rijkelijk veel slagroom op mijn bord en maakte er een hele berg van tot mama de bus uit mijn hand rukte.
Daarna aten we de smarties.
'Weet je nog dat onze laatste verjaardagstaart helemaal versierd was met smarties?' vroeg ik. 'Hé, wist je dat je voor elke zevende smartie een speciale wens mag doen?'
'Nee, dat is niet waar. Dat heb je net verzonnen. Je mag alleen een wens doen als je je verjaardagstaart snijdt,' antwoordde Alice. 'We hebben geen taart. Het is niet onze verjaardag.'

'We kunnen een wens doen wanneer we willen, verjaardagen of *niet*verjaardagen. Kom op, Alice, doe een wens – samen met mij.'

We doen altijd dezelfde wens.

'We wensen dat we voor eeuwig en altijd vriendinnen blijven,' zei ik.

Ik porde Alice met mijn elleboog in haar ribben tot ze mee wilde doen. Ze mompelde iets en daarna boog ze het hoofd. Ze dronk wat sap, maar ze begon te hoesten en te proesten en moest snel naar de badkamer rennen.

'O, hemel. Arme Alice. Verslikte ze zich in een smartie?' vroeg mama.

'Dat denk ik niet,' antwoordde ik.

Toen ze van de badkamer terugkwam, had Alice hele rode ogen. Ik weet dat je ogen een beetje tranen als je je verslikt. Maar ze zag eruit alsof ze had gehuild.

Ik dacht er op dat moment niet verder bij na. Alice *is* een beetje een huilbaby. Ze huilt om de meest belachelijke dingen. Ze huilt zelfs als ze gelukkig is. Zoals toen ik haar Melissa gaf, de porseleinen pop van mijn oma, die ik kreeg toen ze stierf. Ik hield van Melissa, want ze was de speciale pop van mijn oma geweest. En ze was ooit *haar* oma's speciale pop geweest. Melissa was erg mooi, met zachte bruine krullen en glanzende bruine ogen met echte wimpers. Ik vond het leuk om haar oogleden op en neer te laten bewegen, alsof ze echt knipperden. Mama werd boos en zei dat ik Melissa's ogen zou uitsteken als ik niet voorzichtig was.

Alice hield ook van mijn pop, vooral van haar prachtige witte jurk en onderjurk en haar lange kanten onderbroek (stel je voor – een onderbroek tot onder je knieën!) Ik wilde Melissa echt echt echt om mee te spelen. Ik ben helemaal geen meisjesachtig meisje, maar ik heb het altijd leuk gevonden om met poppen te spelen. Vuile, wilde, opwindende spelletjes. Mijn barbies trokken door tuinjungles, ze worstelden met aardwormen en ze verdronken bijna in een stortvloed.

Ik keek naar mijn ongerepte Melissa. Zelfs haar suède laarsjes met parelknoopjes waren wit. Ik wist gewoon hoe ze eruit zou zien als ik haar hield. En opeens wist ik wat ik moest doen. Ik gaf Melissa aan Alice. Alice klemde haar tegen zich aan (voorzichtig, zodat haar kleren niet zouden kreuken) en grote dikke tranen rolden over haar wangen.

Ik maakte me zorgen. Misschien had ik me vergist en hield ze niet echt van Melissa.

Alice hield vol dat ze huilde van vreugde. Later die dag huilde ik tranen van pijn en woede en wanhoop omdat mama ontdekte wat ik had gedaan. Ze was zooooo boos op me omdat ik oma's pop had weggegeven.

Ik vroeg me af of Alice had gehuild van blijdschap om onze speciale smartiewens. Maar dat leek overdreven. Zelfs voor Alice.

Na het eten leek ze weer in orde. We keken samen televisie en toen ons favoriete muziekprogramma begon, zongen we mee en deden alle dansjes – net als altijd. Nou ja, Alice voerde alle pasjes correct uit. Ik sprong maar wat op en neer en zwaaide met mijn armen.

Max kwam binnen en deed even mee. Hij danst nog wilder dan ik. Alice wordt altijd een beetje zenuwachtig als hij zijn gekke jive-ding doet en ons rondzwiert. Maar ik vind het geweldig.

Toen rende Max weg naar zijn Ayesha.

Alice en ik gingen met Dolle Hond door de tuin rennen. We

probeerden nog een keer om hem trucjes te laten doen.
Toen hij een kleine donzige pup was, kon hij superschattig opzitten en met zijn pootje zwaaien. Ik was ontzettend enthousiast en ik dacht dat we van hem een Wonderhond konden maken. Alice en ik zouden samen met hem een circusnummer maken. Ik – met een hoge hoed en een lange jas – zou Dolle Hond bevelen geven. Alice kreeg een balletpakje aan met veel liflafjes en zij zou mijn charmante assistente zijn. Maar Dolle Hond werd ook *echt* stapeldol toen hij in zijn puberteit kwam. Hij deed helemaal geen trucjes meer. Af en toe gaf hij een poot als hij een bijzonder goed humeur had en als je hem omkocht met chocola. Maar hij weigerde absoluut op zijn achterpoten te dansen of salto's te maken of *Lang zal ze leven* te blaffen. Hij *blafte* wel, luid en hardnekkig, om je te vertellen dat je moest oprotten en hem niet moest lastigvallen.
Dat deed hij gisteravond ook, toen ik probeerde hem op een bloempot te laten balanceren. Het was een *grote* bloempot. Het had kunnen lukken – als hij had gewild. Maar hij wilde niet. Hij werd zo boos dat Jasper zich met geweld losrukte van achter zijn computer, uit zijn kamer kwam en naar beneden stommelde om hem te redden.
'Laat hem met rust, kleine hondenbeul,' zei hij terwijl hij Dolle Hond wegtrok.
'Ik probeer hem alleen te helpen om een ster te worden,' antwoordde ik. 'Ik heb zelfs een artiestennaam voor hem bedacht. De Hondsster. Begrijp je het? Er bestaat ook een echte Hondsster, uit het sterrenbeeld van Sirius, de Grote Hond...'
'En ik zou willen dat je daar naartoe vloog en er bleef,' antwoordde Jasper terwijl hij Dolle Hond mee naar binnen sleurde.

Ik fluisterde een paar beledigende woorden achter zijn rug. Alice giechelde. We klommen op de grote tak van de appelboom en wisselden alle beledigingen uit die we kenden. Ik ken er *veel* meer dan Alice. Het voelde geweldig om onze benen zo van de tak te laten slingeren. Ik probeerde op en neer te wippen, maar Alice werd bang. Ze zei dat haar billen sliepen en dat ze naar beneden wilde. Dus klommen we naar beneden.

Papa belooft me al eeuwen een echte boomhut, maar hij schijnt nooit tijd te hebben. Zelfs niet om eraan te beginnen. Ik wist dat Alice *dolgraag* een boomhut wilde.

Mama riep ons naar binnen en we maakten ons klaar om te gaan slapen. We zaten in onze pyjama's elk aan een kant van het bed, met een grote schaal popcorn tussen ons in. Ik deed alsof ik een zeeleeuw was. Ik gooide de popcorn in de lucht en ving hem met mijn mond, terwijl Alice in haar dagboek schreef. Ik deed mijn best, maar ik was niet elke keer zo handig als een zeeleeuw.

'Ik schok iedere keer als jij zo rondspringt,' zei Alice.

'Ja, het is niet makkelijk om popcorn te vangen,' antwoordde ik met mijn mond vol.

'Je verslikt je nog als je niet uitkijkt,' zei Alice terwijl ze haar dagboek dichtsloeg. 'Hou op met dat schrokken, Em, ik wil mijn nagels lakken. Kom, ik zal jouw nagels ook doen.'

'Vervelend,' zei ik. 'Je zal toch alleen maar zeuren omdat ik ze verknoei.'

'Verknoei ze dan *niet,'* antwoordde Alice streng. Ze pakte het potje nagellak en maakte het open.

'Je klinkt soms net als mama,' zei ik, terwijl ik lichtjes met mijn tenen tegen haar aan porde.

Ik porde wat te enthousiast. Ik raakte de grote schaal en de

popcorn rolde over het hele bed. Alice vloog overeind. Ze morste roze nagellaksmurrie over haar pols en op de mouw van haar pyjama.
'O, *Em*!' gilde ze schril. Ze sprong op en liep naar de badkamer om het schoon te vegen.
Ik deed mijn best om de popcorn weer in de schaal te scheppen. Ik hoorde hem overal knisperen, zelfs tussen het dagboek van Alice. Ik schudde het dagboek uit – en toen keek ik snel even wat ze had geschreven.
Ik las het nog een keer. En nog een keer.

Ik weet niet wat ik moet doen. Ik voel me zo ellendig. Ik kan het Emma niet vertellen. Dat kan ik gewoon niet. Het moet een GEHEIM blijven. Maar het is zo moeilijk om normaal te doen. Alsof we gewoon verder kunnen zoals vroeger, zoals Emma wenste, voor altijd beste vriendinnen.

Heeft Alice een nieuwe beste vriendin?
Heeft ze gewoon genoeg van mij?
Ik kon niet slapen. Ik draaide en woelde door de popcornkruimels, en vroeg me af of ik Alice wakker zou maken en het haar openlijk zou vragen. Uiteindelijk kroop ik dicht tegen haar aan. Ik wond een lok van haar lange haar om mijn vingers alsof ik haar voor altijd aan mij vastbond.

Drie

Toen we wakker werden, zei ik geen woord over het Geheim. Alice ook niet.
En toen we naar beneden gingen en we voor onszelf een grote kom Frosties klaarmaakten met extra suiker en een handvol krenten en van die piepkleine kleurige cake-versier-bolletjes om regenboogmelk te maken, zei ik geen woord over het Geheim. Alice ook niet.
Ik zei geen woord over het Geheim toen we televisie keken. Alice ook niet.
En geen woord over het Geheim toen we *Tracy Beaker* naspeelden, ons favoriete programma. Alice ook niet.
Alice zei bijna helemaal niets, zelfs niet toen ze Louise of Justine of Ruth nadeed (ik speel altijd Tracy). Maar Alice is altijd veel rustiger dan ik.
Ik was niet rustig. Hoe banger ik mij van binnen voelde, hoe luidruchtiger ik me gedroeg. Steeds maar luidruchtiger, tot mama – bijzonder boos – in haar ochtendjas naar beneden stormde.
'In hemelsnaam, Emma, hou op met gillen! Je vader is pas om twee uur vanochtend thuisgekomen.'
'Maar ik ben Tracy Beaker, mama. Ik moet gillen. En trappen. En schoppen. En ronddraven,' zei ik, terwijl ik het voordeed.
Mama greep me beet. 'Hou daar mee *op*!'
Ze schudde me kort door elkaar. Mama slaat mij nooit, maar

ik denk dat ze dat vaak wel zou *willen*. Ze keek naar Alice en rolde met haar ogen. 'Waarom *wil* je eigenlijk Emma's vriendin zijn?'
'Ik weet het niet, tante Liz. Het is gewoon zo,' antwoordde Alice – en toen barstte ze in tranen uit.
'O, schatje, niet huilen!' zei mama. 'Ik ben niet boos op *jou*.'
'Ik wil ook niet dat je boos bent op Emma,' snikte Alice.
'Ik ben niet echt *boos*. Gewoon een beetje overstuur. Maar ik ben bang dat dat voortdurend zo is in de buurt van Emma,' zei mama. Ze woelde berouwvol door mijn haar. 'Kijk toch eens, Em! Je haar staat recht overeind. Net een toiletborstel.'
'Nou, stop me alsjeblieft niet in het toilet, mama,' zei ik.
Mama was druk in de weer om het gezicht van Alice schoon te vegen met keukenpapier. Meestal huilt Alice maar een klein beetje. Gewoon een paar tranen die voorzichtig langs haar roze wangen naar beneden druppelen. Maar nu leek ze wel lek geslagen: de tranen stroomden naar buiten, er droop slijm uit haar neus en kwijl uit haar mond. Ze zag er bijna lelijk uit. Helemaal niet zoals Alice.
'Alsjeblieft, Alice, niet huilen,' zei ik. Ik sloeg mijn arm om

haar heen en begon zelf te snikken.
'O, in hemelsnaam,' zei mama. 'Meisjes! Doe niet zo flauw. Ik geef het op. Er valt niets te huilen.' Ze tikte ons allebei zachtjes met de handdoek op onze druppende neuzen en liep de trap op naar de badkamer.
Ik keek naar Alice. Zij keek naar mij. Ik snoof hard en veegde mijn neus af met de rug van mijn hand.
'Jakkes,' zei Alice. Ze pakte een stukje keukenpapier en snoot netjes haar neus. 'Em,' zei ze, met een droevige zucht. 'Em, er is *wel* iets om over te huilen.'
'Dat dacht ik al,' antwoordde ik. Ik voelde me alsof ik op de richel van opa's raam stond, net voor ik de grote grijze leegte ingeduwd zou worden.
'Ik weet niet hoe ik het je moet vertellen,' zei Alice.
'Gewoon doen. Spuug het eruit,' zei ik. Ik raakte haar lippen aan en probeerde haar mond te bewegen. Ze deed alsof ze in mijn vingers beet.
'Ik ben niet zo goed in spugen. Niet zoals jij,' zei ze. (Ik was ooit de onbetwiste kampioen van de spetterendste spuugwedstrijd die we op school achter de fietsenstalling hielden.)
We giechelden allebei flauwtjes, nog steeds snikkend.
'Zal ik het dan maar zeggen? Je wilt mijn beste vriendin niet meer zijn,' begon ik.
'Nee, dat is het niet!' zei Alice, maar het leek alsof ze door een bij was gestoken.
'Het is wel goed. Nou ja, het is *helemaal niet* goed, maar ik begrijp het wel. Ik weet niet eens of ik zelf wel mijn beste vriendin zou willen zijn. Ik maak altijd zoveel lawaai en ik ben onverstandig en ik breek dingen en ik werk iedereen op de zenuwen.'

'*Mij* werk je niet op de zenuwen. Ik wil dat je mijn beste vriendin bent voor eeuwig en altijd, het is alleen... alleen...'
'Alleen wat? Wat is dat grote geheim, Alice? Kom op, je moet het me vertellen.'
'Hoe weet je dat ik een geheim heb?'
'Ja, nou ja, het spijt me vreselijk en het is absoluut achterbaks en nu zul je *zeker* mijn vriendin niet meer willen zijn, maar ik heb je dagboek gelezen. Gewoon een paar regels. Gisteravond. Nou ja, misschien heb ik vroeger ook wel eens een keer stiekem gekeken. Maar je had nog nooit iets *geheims* geschreven...'
'Em, hou op met dat geratel,' zei Alice. Ze pakte mijn hand vast. 'Ik wil nog steeds je vriendin zijn. Maar waag het niet mijn dagboek nog een keer te lezen, jij nieuwsgierige big! Ik had mama en papa gezworen dat ik het aan niemand zou vertellen. Zelfs niet aan jou. Niet tot het allemaal geregeld was. Maar je zou het toch snel genoeg ontdekken. Ik denk dat we gaan verhuizen.'
'Verhuizen?' vroeg ik verbaasd. Ik voelde me alsof de strakste riem ter wereld opeens los was gemaakt en ik weer vrij kon ademen. 'Is dat alles? O, Alice, dat is toch geen probleem. Waar naartoe? Maak je geen zorgen. Als het helemaal aan de andere kant van de stad is, dan geeft papa me wel een lift met de taxi. Zo eenvoudig is dat.'
'We verhuizen naar Schotland,' zei Alice.
'Schotland? Maar dat is honderden kilometers hiervandaan!'
Ze had net zo goed Timboektoe kunnen zeggen. Of de Gobi woestijn. Of Mars. De riem werd weer aangesnoerd, zo strak dat ik nauwelijks kon ademen.
'Maar hoe kan ik je dan zien?'

'Ik weet het, ik weet het, ik vind het vreselijk,' zei Alice en ze begon opnieuw te huilen.
'En de school?'
'Ik moet naar een nieuwe school waar ik niemand ken. En waar ik geen vrienden heb,' jammerde Alice.
'Maar *waarom* gaan jullie verhuizen?'
'Papa krijgt een nieuwe baan bij een Schots bedrijf en mama wil daar gaan wonen omdat we er een groter huis kunnen krijgen. Met een enorme tuin. En mama zegt dat ik een schommel krijg en een boomhut.'
'*Ik* krijg een boomhut, dat weet je, zodra papa tijd heeft,' antwoordde ik. 'Het zou *onze* boomhut zijn.'
'En ik mag zoveel huisdieren als ik wil.'
'Dolle Hond is ook een beetje van jou.'
'Mama zegt dat ik misschien een eigen pony krijg.'
Ik stokte. 'Een pony!' Ik had altijd al verlangd naar een pony. Toen ik klein was, liep ik vaak met mijn handen omhoog alsof ik teugels vasthield. En dan galoppeerde ik op mijn witte fan-

tasiepaard, Diamant. Ik weet dat je witte paarden schimmels noemt, maar Diamant was zo wit als sneeuw. Soms kreeg hij vleugels – zoals Pegasus – en dan vlogen we omhoog, over de stad, tot we bij de zee kwamen. En we galoppeerden urenlang, rakelings over de golven.

Ik staarde naar Alice. 'Krijg je *echt* een pony?'

'Nou ja, mama zei dat het kon. En papa ook, hoewel hij het niet echt heeft beloofd. Het is nog niet helemaal zeker dat we gaan. Papa weet nog niet precies wanneer zijn nieuwe baan begint en er is nog iets mis met het contract van het huis. Daarom vertellen we het voorlopig aan niemand.'

'Maar ik ben niet *zomaar* iemand. Ik ben je beste vriendin! Waarom hield je het geheim voor *mij*? Als ik jou was geweest, had ik het *moeten* vertellen. Anders was ik ontploft.'

'Dat weet ik, Em. Daarom juist. Je zou het aan allemaal mensen hebben verteld omdat je nooit een geheim kan bewaren.'

'Dat kan ik wel! Nou, soms in ieder geval. Maar goed, waarom is het zo'n groot geheim?'

'We wachten tot het laatste ogenblik, want oma en opa zouden gek worden en proberen ons tegen te houden.'

Ik was geschokt. 'Je bedoelt dat jullie hen achterlaten?'

'Tja, papa zegt dat we geen keuze hebben,' antwoordde Alice.

Ik kon me niet voorstellen dat wij opa ooit zouden achterlaten. Ik zou nog eerder mama en papa achterlaten dan opa. Maar ik zou ze alledrie achterlaten als ik bij Alice kon blijven.

'Je laat mij ook achter,' zei ik.

Het gezicht van Alice leek te verschrompelen. 'Ik weet niet hoe ik dat moet verdragen, Emma. Ik heb mama en papa verteld dat ik niet meewilde omdat ik je teveel zou missen. Ze lachten me alleen maar uit. Ze zeiden dat ik nieuwe vriendin-

nen zou maken – maar ik wil geen nieuwe vriendinnen. Ik wil alleen jou.'
'Je *hebt* me nog. We kunnen nog steeds beste vriendinnen zijn. En weet je wat, ik zal je ieder weekend komen bezoeken! Ik neem de trein,' zei ik opgewonden.
'Dat kan niet, Em. Het duurt uren en uren en het kost bergen geld.'
'Meer dan twee pond voor een kind?' vroeg ik.
Ik kreeg elke week twee pond zakgeld. In theorie in ieder geval. Het hing ervan af of ik ongehoorzaam was geweest of brutaal, of iets had gebroken. Ik besloot me vanaf nu als Perfecte Dochter te gedragen.
Maar het had geen zin.
'Het kost 48 pond.'
'Wat?!'
'En dat is een aanbiedingsprijs.'
Ik zou bijna zes maanden moeten sparen voor een enkel bezoek.
'Wat moeten we doen?' huilde ik.
'We kunnen niets doen. We zijn maar kinderen. We tellen niet mee,' antwoordde Alice bitter.
'Maar je zei dat het nog niet *helemaal* zeker was. Misschien krijgt je vader die baan toch niet. En misschien verkopen ze het huis aan een andere familie. En dan blijf je hier, waar je thuishoort. Bij mij,' zei ik fel en vastberaden. Alsof het echt zo zou gebeuren als ik maar hardnekkig volhield.

Ik wenste het iedere ochtend. Iedere avond bad ik ervoor. Ik deed allerlei rare dingen om mijn wens te laten uitkomen. Ik probeerde de hele straat uit te lopen zonder de randjes tus-

sen de stoeptegels aan te raken. Ik telde tot vijftig zonder met mijn ogen te knipperen. Ik schopte tegen iedere lantaarnpaal en mompelde: 'Alsjeblieft, alsjeblieft, alsjeblieft.'
Opa maakte zich zorgen. 'Wat is er aan de hand, Suikerkoekie?'
'Niets, opa.'
'Vertel me niet dat er niets aan de hand is. Je loopt raar, je staart voor je uit alsof je verdoofd bent en je cirkelt verdorie als een hondje om iedere lantaarnpaal heen. Er is duidelijk *wel* iets aan de hand.'
'Goed, er is iets. Maar ik kan het je niet vertellen, opa. Ik wilde dat ik het kon.'
'Kun je het niet gewoon in mijn oor fluisteren? Ik zal niet boos zijn of geschokt, wat je ook hebt uitgespookt, lieverd.'
'Ik heb niets gedaan, opa. Deze keer niet,' zei ik met een zucht.
'Nou, dat is weer eens iets anders,' zei opa hijgend. We sjokten, almaar hoger, de trap naar zijn flat op. De lift was weer stuk en het was een heel eind lopen naar de twaalfde verdieping.
Ik probeerde naar boven te hinkelen, maar dat hield ik maar drie treden vol. Toen probeerde ik naar boven te rennen zonder te stoppen, maar het leek gemeen om opa helemaal alleen naar boven te laten strompelen. Dus probeerde ik schuin te lopen, met mijn voeten gedraaid.
'We kunnen je moeder beter vragen om zaterdag nieuwe schoenen met je te gaan kopen,' hijgde opa. 'Deze lijken te klein, pop. Je loopt helemaal raar.'
'Ik probeer alleen een wens te laten uitkomen, opa,' zei ik. 'Hoewel het verdorie niet schijnt te werken.'
'Zeg, let op je woorden.'

'Jij gebruikt ze ook. Nog *ergere*.'
'Ik ben een stoute oude man. Ik mag dat. Jij niet. Je moeder zou het niet goedvinden.'
'Dat kan me niet schelen,' antwoordde ik. 'Opa, waarom mogen moeders en vaders de baas over je spelen en je vertellen wat je moet doen en waar je moet wonen? Waarom tellen kinderen niet mee als *mensen*?'
'Wacht maar tot je zo oud bent als ik, lieverd. Oude mannen zoals ik tellen ook niet mee als mensen,' antwoordde opa. Hij greep mijn hand. 'Zeker weten dat je je oude opa niet kunt vertrouwen, Em? Ik zal het aan geen mens vertellen. Dat zweer ik.'
Deze keer kon ik mezelf niet tegenhouden. De woorden stroomden eruit. En toen begon ik te huilen. Opa hielp me zijn flat in. Hij liet zich in zijn grote fluwelen stoel vallen en zette me op zijn knie. Hij gaf me een grote knuffel tot ik ophield met huilen en hij veegde mijn tranen af met een van zijn grote zachte witte zakdoeken.
Toen maakte hij een kop thee voor ons allebei.
'Wat denk je, wil je ook wat lekkers? Je zult wel honger hebben, na al die emoties,' zei hij. Hij gaf me een boterham met stroop en een stuk aardbeiengebak en een heel pak suikerkoekjes. Telkens als ik een koekje in mijn mond stopte, wenste ik dat Alice niet zou vertrekken. Ik deed zelfs een wens bij de gebroken stukjes suiker en bij de kruimels.

Allemaal voor niets. De volgende zaterdag kwam de moeder van Alice samen met Alice naar mijn huis toe. Alice was heel bleek en haar ogen waren rood, alsof ze veel had gehuild. Maar tante Karen bloosde van opwinding.

Zodra ze binnen was, begon ze te praten.
'We moeten jullie wat vertellen!' kondigde ze aan. 'We gaan verhuizen.'
Alice keek me waarschuwend aan, dus ik deed alsof ik er voor het eerst van hoorde.
Mama leek stomverbaasd, terwijl tante Karen aan een stuk door praatte.
'Verhuizen? Naar *Schotland*? O, Karen, ik kan het niet geloven. Is dat gewoon een idee, of is alles al geregeld?'
'Het hing al weken in de lucht, maar we wilden het helemaal zeker weten voor we het iedereen vertelden. Bob kreeg een geweldige baan aangeboden en we kopen er een ongelofelijk huis met een enorme tuin. De huizen zijn er zoveel goedkoper, maar Bob krijgt natuurlijk ook een fikse salarisverhoging. Het is een perfecte plek voor een gezin. Het platteland is zo mooi. Het was een fantastische kans voor ons. We konden gewoon niet weigeren. Maar toch zal het pijn doen om te verhuizen. We zullen jullie echt missen.'

‘Wij jullie ook,’ zei mama. Ze omhelsde tante Karen. Toen keek ze naar Alice. ‘O, hemel! Jij en Emma zullen elkaar ook vreselijk missen.’
Alice knikte verdrietig. De tranen rolden over haar wangen.
‘O, Alice. Kom op!’ zei tante Karen. ‘Je vindt het ook spannend om te verhuizen. Je wil toch een pony, schat? En een grote eigen slaapkamer met zo’n speciale bank bij het raam en een gloednieuw stapelbed...’
‘Kan ik komen logeren in dat stapelbed?’ vroeg ik.
‘Emma!’ zei mama.
‘Ja, natuurlijk kun je komen logeren, Emma,’ zei tante Karen. ‘Dat zou leuk zijn.’
‘*Wanneer* kan ik komen?’ vroeg ik.
‘Emma, hou nu je mond!’ zei mama streng.
‘Misschien... misschien in de zomervakantie?’ antwoordde tante Karen.
De zomervakantie, dat duurde nog maanden en maanden.
Ik bedacht hoe lang een *dag* duurde als ik Alice niet zag.
Ik bedacht hoe het op school zou zijn om naast een lege stoel te zitten.
Ik bedacht hoe het zou zijn op de speelplaats, zonder iemand om mee te praten.
Ik bedacht hoe het op zaterdagen en zondagen zou zijn, zonder iemand die kwam spelen.
Ik bedacht hoe het op mijn verjaardag zou zijn.
Ik dacht aan onze verjaardag en hoe we als piepkleine baby’s vriendinnen waren geworden. Sindsdien hadden we elkaar iedere verjaardag geholpen om de kaarsjes uit te blazen en onze speciale wens te doen...
En nu zou die wens nooit uitkomen.

Ik keek naar tante Karen. Haar mond ging open en dicht als die van een goudvis en ze babbelde en bubbelde maar door. In de keuken van haar landhuis zou ze een open haard krijgen, en bij hun slaapkamer een aangrenzende badkamer, en een enorme barbecue in de patio, en een tuin die groot genoeg was voor een pony. Alice zou een kindertijd hebben als in een sprookje.
Ik wilde haar mond dichtproppen en haar roosteren in haar open haard en haar door het aangrenzende toilet spoelen en haar op haar barbecue spietsen en haar laten vertrappelen door de pony van Alice.
Alice zelf zat ineengedoken in een hoek te snikken. Ze wilde niet in een groot huis wonen met een grote tuin. Ze wilde zelfs geen pony als ze hem niet met me kon delen.
Ik haalde diep adem alsof ik op het punt stond alle kaarsjes op mijn verjaardagstaart voor het eerst alleen uit te blazen.
'HET IS ALLEMAAL UW SCHULD!' gilde ik.
Tante Karen sprong op. Alices mond viel open. Mama schoot overeind en pakte me bij mijn schouders.
'Hou *op*, Emma!'
'Ik hou *niet* op!' brulde ik. 'Het is niet *eerlijk*. Ik haat u, tante Karen. U haalt mijn allerbeste vriendin bij me weg en dat kan u niets schelen!'
'Emma!' Mama schudde me ruw door elkaar, haar vingers knepen hard in mijn schouders. 'Hou op!'
Ik kon niet ophouden. Ik gilde zo hard mogelijk.
Max en Ayesha kwamen vanuit de tuin naar binnen gerend. Papa stormde de trap af in zijn ochtendjas. Jasper kwam uit zijn kamer en liep naar beneden, naar de keuken. Dolle Hond blafte hysterisch. Ik blafte nog luider en telkens als mama me

door elkaar schudde, gilde ik tegen haar.
Toen tilde Max me op. Hij hield me stevig vast, ook toen ik probeerde hem te slaan. Hij droeg me de kamer uit, de trap op, mijn slaapkamer in. Hij ging op mijn bed zitten, sloeg mijn dolfijnendeken om me heen en wikkelde me erin als een kleine baby in een doek.
Hij wiegde me vooruit en achteruit, en hij wreef over mijn borstelige haar terwijl ik snikte en snikte en snikte. Ik voelde zijn armen om me heen, maar ik voelde ook hoe ik verder en verder en verder naar beneden tuimelde, voorbij de dolfijnen op mijn donsdeken, naar de diepste diepten van de donkere oceaan. Helemaal alleen.

Vier

De moeder en de vader van Alice gaven een feestje om van iedereen afscheid te nemen.
'Het is een wonder dat je bent uitgenodigd,' zei mama met een boze blik in mijn richting. 'Schreeuwen als een... heks. Ik wist niet meer waar ik het zoeken moest. Als je die grap nog een keer uithaalt, jongedame, krijg je een ouderwets pak voor je broek.'
'Maar lieverd, die arme Emma was overstuur,' zei papa.
'Ze zal nog meer overstuur raken als ze zich op dat feest niet voorbeeldig gedraagt,' zei mama. 'Je zegt alsjeblieft en dankjewel, Emma. Je zit stil en je rent niet rond. Je praat zacht en je valt iemand niet in de rede. Je eet als een dame en je zorgt ervoor dat je niets op je jurk morst.'
'Welke jurk?' mompelde ik.
'Je feestjurk, rare meid,' zei mama.
'Die feestjurk doe ik niet aan!' antwoordde ik.
Mama had vorig jaar in de uitverkoop zo'n vreselijke puddinggele jurk met frutsels en franjes voor me gekocht. Hij zag er belachelijk uit. Jasper en Max hadden gegierd van de lach toen ik hem van mama moest passen. Papa had gezegd dat ik eruitzag als een prachtige kleine paasbloem – maar daarna begon hij ook te lachen.
Ik had de jurk van mijn lijf gerukt en helemaal achter in mijn kleerkast gestopt. En ik had gebeden dat niemand me ooit zou

uitnodigen voor een chique feestje waar ik een jurk moest dragen.
'Het is geen *echt* feest,' protesteerde ik. 'Het is in de tuin. Alice doet ook geen feestjurk aan. Mama, alsjeblieft. Ik zal er belachelijk uitzien.'
'Je doet wat ik je zeg. Het is de perfecte gelegenheid. Je moet die jurk wel een keer aan voor hij te klein is,' antwoordde mama.
Ik wed dat ze wist dat de andere kinderen in een spijkerbroek of een korte broek zouden komen. Ze zette het me gewoon betaald dat ik zo tekeer was gegaan tegen tante Karen.
Als ik teveel tegen haar inging, zou mama me helemaal niet meer naar het feest laten gaan. Dat wist ik ook. Dus moest ik wat anders verzinnen. Onder de Gele Ramp deed ik een T-shirt en een korte broek aan en ik besloot dat ik de jurk bij de eerste de beste gelegenheid zou uittrekken.
Maar ik moest hem wel aan om naar het feest *toe* te gaan. De jurk zag er nog vreselijker uit nu hij een beetje te klein was. Hij sneed onder mijn oksels en een heel stuk van mijn benen was bloot.
'Ik had kunnen weten dat je weer lelijke grote schrammen op je knieën zou hebben,' zei mama terwijl ze aan de zoom trok en probeerde de jurk wat langer te maken.
'Blijf alsjeblieft rechtop staan, Emma. Die jurk zit helemaal scheef.'
De jurk zat scheef door het T-shirt en de korte broek eronder. Ik deed snel een stap opzij zodat mama mijn jurk niet omhoog kon tillen en ze het zou ontdekken. Toen papa me zag herhaalde hij zijn opmerking over paasbloemen. Ik verwachtte dat Max en Jasper opnieuw hysterisch zouden gaan lachen,

maar misschien keek ik zo sip dat ze medelijden met me hadden. Jasper knikte alleen maar en Max gaf me een klopje op mijn rug.
Het voelde vreemd toen we bij Alice aankwamen. Het huis zag er al helemaal anders uit. In de voorste kamer stonden verhuisdozen. Alle foto's waren van de muren gehaald en ze hadden spookafdrukken achtergelaten op het behangpapier.
Ik zag Alice niet bij de gasten in de tuin of tussen de massa in de keuken. Haar moeder was ook naar haar op zoek. 'Waar ben je, Alice?' riep ze en haar stem klonk een beetje geïrriteerd.
Ik had er wel een idee van waar Alice kon zijn. Ik gluurde naar binnen in haar slaapkamer. Die leek leeg. Verhuisdozen en vuilniszakken stonden midden in de kamer opgestapeld. Ik deed de grote kleerkast open. Daar zat Alice met gekruiste benen in het donker. Ze hield Teddy, haar oude beer, in haar armen en wreef haar wang tegen zijn sjofele vacht. Zoals ze dat vroeger deed, toen ze klein was.
'O, Alice,' zei ik.
Ik wrong me naar binnen en ging naast haar in de kast zitten. We kropen dicht tegen elkaar aan, de beer tussen ons in gepropt. De jurken en rokken en spijkerbroeken van Alice kriebelden aan onze hoofden en haar schoenen en sportschoenen en balletschoenen prikten in onze billen.
'Ik wil niet gaan,' zei Alice hulpeloos.
'Ik wil niet dat je gaat,' zei ik.
'Het is allemaal veel te echt geworden,' zei Alice weer. 'Ik moest vanochtend bijna al mijn spullen pakken. Het was net alsof het *onze* spullen waren, Em, omdat we altijd samen speelden. Mama wil dat ik allemaal dingen weggooi – mijn oude barbiepoppen, mijn kleurkrijtjes, mijn kleine teddy's. Mama zegt

dat het rommel is, maar dat is niet zo. Die dingen zijn heel speciaal.'

'Het is rommel, Alice. Ik heb al je spullen verpest. Ik kapte het haar van je barbies en knipte ze bijna kaal. Als we samen tekenden, krabbelde ik veel te hard op de lucht en het gras, dus zijn al de blauwe en groene krijtjes gebroken. En ik gaf je kleine teddy's zwemles in de gootsteen. Sindsdien is hun vacht helemaal mat. Ik bedoel het niet zo, maar ik maak je spullen altijd stuk.'

'Dat doe je niet. Nou ja, eigenlijk wel, maar ik vind het niet erg omdat je zulke grappige spelletjes verzint. Met wie moet ik nu spelen in Schotland, Emma?'

Ik liet Teddy haar een dikke zoen op haar neus geven. '*Je kunt altijd met mij spelen, als je me maar genoeg boterhammen met stroop geeft,*' zei ik met een krakend teddystemmetje.

'Alice, Alice, waar ben je?' We hoorden hoe tante Karen de deur

opendeed. Ze zuchtte boos en sloeg de deur weer dicht.
'Mama wordt hartstikke boos,' fluisterde Alice zenuwachtig.
'Mijn moeder is *altijd* boos op me,' zei ik, terwijl ik aan het korstje op mijn knie plukte. 'Wanneer ga je je moeder laten weten waar je bent?'
'Dat doe ik niet. Ik vind haar niet leuk meer,' zei Alice.
'Ik vind mijn mam *nooit* leuk.'
'Laten we dan hier blijven, Em. Konden we hier maar voor altijd en altijd samen blijven.'
'Jep. Laat ze maar vertrekken naar dat stomme verre Schotland. Jij blijft hier in je kast wonen. Ik kom hier ook wonen. We sturen Teddy erop uit om eten te zoeken.'
Ik liet haar beer gretig op een neer springen. '*Boterhammen met stroop!*' riep hij. '*Jammie. Jammie.*'
'We kunnen niet leven van boterhammen met stroop,' zei Alice.
'*Dat kunnen we wel. Ze zijn heel gezond,*' antwoordde Teddy.
Alice duwde hem weg. 'Em, ik meen het. De boterhammen van Teddy zijn verzonnen. Hoe zouden we aan echt eten komen? Zou jij misschien naar de keuken kunnen sluipen en een stapel lekkers van het feest mee kunnen grissen? Er zijn bergen eten. Mama heeft gisteren de hele dag gekookt. Daar zouden we een paar dagen mee verder kunnen. Makkelijk.'
'Je bent gek, Al. We kunnen niet echt in je kast blijven zitten. Ze zouden ons gauw vinden, dat weet je.'
'Zullen we dan weglopen? Voor ze ons vinden.'
Alice greep mijn handen. 'Laten we dat doen, Em. We lopen echt weg.'
'Oké. Ja. Laten we dat doen! Maar ze zullen wel achter ons aankomen, denk je niet? Onze moeders worden vast gek. En dan

gaan ze naar de politie en geven ze onze persoonsbeschrijvingen. *Vermist: een meisje in het roze met lang blond haar, en een meisje met kort stekelig haar in afschuwelijke gele franjes.* Hoewel – dit kan ik uittrekken,' zei ik terwijl ik me uit de verschrikkelijke jurk wrong.
'Weet je wat, we verkleden ons allebei. We gaan vermomd. Ik kan mijn zwarte vlecht dragen van de Chinese dans die ik bij ballet heb gedaan,' zei Alice gretig. 'Jammer dat ik niet nog een pruik heb.'
'Ik heb geen pruik nodig,' zei ik terwijl ik uit mijn jurk stapte en mijn korte broek en T-shirt gladstreek. 'Ik doe alsof ik een jongen ben.'
'*Geweldig* idee! Je mag mijn baseballpet op, dan lijk je nog meer op een jongen. En ik doe een van mijn oude rokjes en een topje aan. Misschien kan ik ze een beetje scheuren, zodat ik eruitzie als een echte stoere straatmeid.'
Alice zag er helemaal niet stoer uit met haar glanzende zwarte pruik en haar lichtblauwe rok en topje. Zelfs niet toen ze opzettelijk met haar schaar een groot gat in haar T-shirt had geknipt.
'Mama zal boos zijn als ze dat ziet,' zei ze terwijl ze met haar vinger door het gat priemde.
'Maar ze ziet het toch niet?' antwoordde ik. 'Alleen wij tweetjes, Al. Jij en ik.' Ik stopte even en liet Teddy opspringen. *'En ik ook,'* zei die.
'Moeten we wat dingen inpakken? Pyjama's en schoon ondergoed en toiletspullen?' vroeg Alice.
We hoorden de moeder van Alice opnieuw op de overloop. Ze riep Alice en ze klonk nu echt van streek.
'We hebben geen tijd om te pakken,' zei ik. 'Maar het zou wel

nuttig zijn als je wat geld mee kon nemen.'
'Makkie,' zei Alice en ze viel de onderbuik van haar porseleinen varken aan. Ze maakte het plastic dopje los en liet het geld in haar hand stromen – een paar briefjes van vijf en tien pond en een berg munten.
'O, waauw! We zijn rijk!' riep ik.
We vulden onze zakken met geld en luisterden aandachtig. Het leek alsof de moeder van Alice naar beneden was gelopen, en buiten gehoorsafstand was.
'Ik denk dat de kust veilig is,' zei ik. 'Schiet op!'
We kropen uit de grote kast en renden door de kamer. Alice had Teddy onder haar arm. Ze keek verlangend naar haar doos met parels en haar kinder-make-up-set en de pop van mijn oma, die stijfjes op haar boekenrek zat.
'Laten we Melissa ook meenemen,' zei ze. 'Ze is van ons tweeen.'
'We kunnen haar niet meesleuren. Dat wordt te vervelend,' zei ik. 'Bovendien: een jongen en een stoere meid met zo'n chique porseleinen pop. We zien er al vreemd uit met Teddy. Maar hij is in ieder geval sjofel genoeg.'
Teddy gaf me een klap met zijn poot. '*Spreek voor jezelf! Jij bent de sjofele,*' zei hij. '*We kunnen weglopen en bij een circus gaan. Ik ben jullie circusbeer en jullie mijn berentemmers. Emma, jij kunt een hoge hoed op doen en een lange jas aan, als een circusdirecteur. En jij een glitterend roze balletpakje, Alice.*' Ik schakelde weer over op mijn gewone stem. 'Hé, we kunnen ons eigen circus beginnen. Ik kan in de trapeze klimmen en koorddansen en trucjes doen op de trampoline. Dat zou ik geweldig vinden. En jij kunt zonder zadel rijden, op een hagelwit paard.'

'Dat heet een schimmel.'
'Dat weet ik, maar schimmel klinkt stom als je wit bedoelt. Hé, misschien is het wel een vliegend paard – zoals Pegasus. Dan zou je razendsnel omhoog kunnen schieten tot aan het plafond van de circustent...'
'Circustenten hebben geen plafond.'
'Alice, houd eens op met dat vitten! We *spelen* alleen maar.'
'Ja, maar dit is geen spel. Dit is echt. Het *is* toch echt, hè? We kunnen toch echt echt weglopen?'
Mijn maag kromp ineen. Ik had gedacht dat we maar deden alsof. Ik wist hoe gevaarlijk het zou zijn om alleen weg te lopen. Ik bedacht hoe ongerust mama en papa zouden zijn, zelfs als we maar een paar uur vermist werden. Max zou ook ongerust zijn. En zelfs Jasper. Toen dacht ik aan opa en wat er met hem zou gebeuren. Hij was al niet echt gezond. Hij hijgde de laatste tijd vaak als we gingen wandelen. Hij moest ook altijd even rusten als we de trap opliepen. Wat als hij nu van de schok een hartaanval kreeg?
Maar Alice pakte mijn handen stevig vast, haar ogen stonden groot en blauw en smekend. Ik kon haar niet in de steek laten.
'Natuurlijk lopen we echt weg,' zei ik en ik liet Teddy op zijn hoofd vallen om te laten zien dat het spel voorbij was. 'Kom dan. We zijn weg.'
We liepen voorzichtig de kamer van Alice uit en luisterden aandachtig. We konden de moeder van Alice niet horen. Misschien was ze Alice gaan zoeken in de tuin. We zoefden de trap af, doken voorbij een of andere oude oom en nog voor die adem kon halen, renden we door de voordeur naar buiten.
We spurtten het pad af. Ik sprong over het hekje om indruk te

maken. Toen greep ik de hand van Alice en we renden de straat uit. Het voelde zo vreemd, wij tweetjes alleen op straat! Zelfs al was het gewoon de straat van Alice, met keurige zwart-witte huizen en nette tuinen en gesnoeide ligusterhagen. Toch leek het alsof we ons een weg baanden door de jungle, met leeuwen die in de schaduw op de loer lagen en slangen die door de klimplanten gleden.
'Het is oké, Alice. Het komt allemaal in orde,' zei ik.
'Laten we blijven rennen. Stel dat ze achter ons aan komen,' hijgde Alice.
We renden en renden en renden. Ik ren altijd, dus voor mij was het niet zo'n probleem. Maar Alice haat rennen. Tegen de tijd dat we aan het eind van de straat gekomen waren, was haar gezicht helemaal rood aangelopen en haar zwarte pruik gleed opzij.
'Misschien kunnen we nu gewoon lopen?' stelde ik voor.
'Nee! We – moeten – verder – weg – komen!' hijgde Alice.
Dus bleven we rennen. Alice was nu bloedrood en haar pruik was zo ver naar voren gegleden dat ze nog nauwelijks zag waar ze liep.
We renden voorbij het winkelcentrum. Ik wilde Alice vragen om wat snoep te kopen, maar het leek niet het juiste moment. Ik probeerde te negeren dat ik stierf van de honger.
We renden voorbij het park met de peuterschommels waar we iedere dag hadden geschommeld toen we in de peuterklas zaten. Daarna renden we voorbij onze school. Die was dicht, want het was zondag.
'Dat is alvast geweldig. Als we weglopen, hoeven we niet meer naar school!' pufte ik.
Alice was zo erg buiten adem dat ze niet kon antwoorden,

maar ze slaagde erin te knikken.
We renden door de straat met de kerk. De klok sloeg.
'We zijn al vijftien minuten weglopers,' hijgde ik. Ik keek om. 'Alice, ze komen niet achter ons aan, echt niet. Het zal nog uren duren voor ze ontdekken dat we weg zijn. Laten we alsjeblieft stoppen met rennen.'
Alice bleef staan. Ze was nu helemaal paars aangelopen. De aders stonden dik afgetekend op haar voorhoofd. Haar ogen keken doodsbenauwd. Ze leunde tegen de muur. Ze greep naar haar zij en ze hijgde, erger dan opa.
'Heb je steken? Buig voorover, dan gaat het beter,' zei ik, terwijl ik op haar schouder klopte.
Alice boog voorover. Ze zag er zo zwak uit dat ik bang was dat ze met haar hoofd op de stoep zou bonken. Ik greep haar bij de taille en hield haar overeind.
'Zo! Gaat het beter?' vroeg ik na een paar seconden.
'Niet – echt.'
'Ga zitten,' stelde ik voor.
Ik bedoelde op het muurtje achter ons, maar Alice ging gewoon op de stoep zitten, zonder zich te bekommeren om haar jurk. Eigenlijk ging ze *liggen*, handen op haar borst, ogen dicht.
'Is alles goed met haar?' vroeg een dame met een kinderwagen. Ze staarde naar Alice, die languit op de grond lag.
'Alles in orde,' zei ik nadrukkelijk. Maar Alice zag er helemaal niet uit alsof alles in orde was. Ze zag eruit alsof ze doodging. Ik schopte voorzichtig tegen haar aan. 'Ga zitten, Al. Hou op met je aan te stellen.'
Alice kwam moeizaam overeind. Ze probeerde te glimlachen naar de dame om te laten zien dat alles oké was, maar ze zag

er nog steeds behoorlijk onrustwekkend uit.
'Waar is je moeder, kind?' vroeg de dame.
Alice knipperde hulpeloos.
'Ze is even naar de winkel, daar in die straat,' antwoordde ik snel. Ik trok Alice aan haar arm. 'Vooruit, we gaan je moeder zoeken.' Ik sleepte haar overeind en ze strompelde achter me aan.
'Niet – zo – snel – ik – kan – nog – niet – ademen,' pufte Alice.
'Ja, ik weet het, maar je maakt die dame wantrouwig. We mogen geen aandacht trekken. Anders gaan ze ons aangeven. We moeten slim zijn.'
'Jij – was – niet – slim – je – zei – mijn – naam.'
'Nee, dat deed ik niet.'
'Jawel. Hardop. Je zei "Al"'
'Nou ja. Al. Dat kunnen allerlei namen zijn. Alexandra. Of Alicia. Of... of Ali Baba.'
'Hou je mond.'
'Oké. Misschien moeten we onszelf nieuwe namen geven, gewoon om achterdocht te vermijden. Ik ben een jongen, dus ik heet... Michael.'
Ik ben een fan van Liverpool en Michael Owen is de absolute topvoetballer.
'Oké, Michael,' zei Alice giechelend. Ze had eindelijk weer adem. 'En wie ben ik? Britney? Kylie? Sabrina?'
'Dat zijn allemaal blondjes. En jij bent nu donker,' zei ik, terwijl ik haar pruik rechttrok. 'Misschien moet je een Chinese naam nemen?'
'Ik ken er geen. Moet ik echt een pruik op? Het is zo warm en het jeukt.'
'Zeker. Ze zullen nu wel snel een bericht verspreiden via de

televisie en dan zeggen ze dat je lang blond haar hebt. Dat onthouden de mensen. Als jij zwarte vlechten hebt en ik ben een jongen, gunt niemand ons een tweede blik.'
Alice zuchtte en blies zichzelf wat koelte toe, maar ze protesteerde niet meer.
'Je lijkt een beetje op Justine uit *Tracy Beaker* op televisie,' zei ik. 'Justine. Dat is een coole naam.'
'Oké. Justine. Dat vind ik leuk. Dus vanaf nu zijn we Justine en Michael?'
'Zeker weten. En als we naar een nieuwe school gaan, blijf ik Michael. Dan speel ik met de beste voetbalteams en heb ik mijn eigen ploeg. Maar 's middags zal ik altijd met je spelen, Al – *Justine*.'
'Ja, maar... welke school?'
'Nou ja...' Ik maakte een vaag gebaar.
'Waar gaan we heen?'
Ik dacht diep na. Waar konden we heen? Ik dacht aan alle vakanties en uitstapjes die ik ooit had gemaakt. Ik herinnerde me een enorme speelgoedwinkel en een reuzenrad en een museum met gigantische dinosaurussen.
'Simpel. We gaan naar Londen,' zei ik. 'Kom, we lopen naar het station. We hebben bergen geld. We nemen de trein.'

Vijf

Op weg naar het station raakten we de weg kwijt. Alice dacht dat het dicht bij de kerk van haar oma was. Ze had er treinen voorbij horen denderen terwijl ze zogenaamd zat te bidden. Ik wist bijna zeker dat ze ongelijk had, maar het leek niet het juiste moment voor een discussie. Dus liepen we het hele eind tot aan de kerk.

'Wat als je oma ons ziet?' vroeg ik.

'Gekkie. Ze is bij ons thuis, op onze barbecue,' antwoordde Alice. 'Ze is vanochtend naar de kerk gegaan. Ik denk dat de kerk 's middags dicht is.'

Maar de kerk was niet dicht. Overal op het grasveld stonden mensen te praten en te poseren voor foto's. De dames liepen opgewonden rond in felle bloemenjurken en extravagante hoeden. De mannen stonden te wriemelen aan hun pakken met hemd en das.

'Is er een bruiloft?' vroeg ik. Toen ontdekte ik een mollige dame in een roze zijden jurk. Ze zag eruit als een reusachtig schuimpje. In haar armen hield ze een baby met een lange witte kanten jurk. 'O, ik zie het al. Een doopfeest!'

Ik was naar het doopfeest van Alice geweest. Mama had me een extra grote fles melk laten drinken om me rustig te houden. Maar ik moest overgeven, helemaal over haar lila mantelpakje heen. Ze was niet blij. Alice kreeg van mij een kleine mok en een kom en een bord met konijntjes erop. Die heeft ze nog

steeds, veilig opgeborgen in de porseleinkast in de zitkamer.
Alice kwam ook naar mijn doopfeest. Ik had honger omdat mama me deze keer geen eten had durven geven. Ik jammerde de hele plechtigheid lang. En toen de dominee water over me heen begon te gieten, schreeuwde ik de longen uit mijn lijf. Ik ging zo vreselijk tekeer dat de dominee me nauwelijks kon vasthouden. Mama was helemaal niet blij.
Ik kreeg van Alice ook een kleine mok en een kom en een bord met konijntjes erop. De eerste keer dat ik groot genoeg was om uit de mok te drinken, liet ik hem vallen en hij brak. In het kommetje maakte ik moddertaartjes en ik moest het weggooien. Het bord heb ik nog steeds, maar er zit een grote barst in en de randen zijn afgebrokkeld.
'Waarom maak ik altijd alles kapot, Alice?' vroeg ik met een zucht.
'Ik ben *Justine*,' antwoordde Alice.
'Sorry!' zei ik terwijl ik bezorgd naar de gasten van het doopfeest keek. Stel dat iemand meeluisterde. 'Ik ben Michael.'
'Kom, Michael,' zei Alice, met de nadruk op mijn nieuwe naam.
'Oki-doki, Justine,' antwoordde ik. Ik probeerde zwierig te lopen als een echte coole jongen.
'Emma! Alice!' riep iemand.
Er kwam een heel dikke jongen op ons afgestormd. Hij brulde onze namen. Ik herkende hem niet meteen. Hij zat opgepropt in een veel te klein grijs pak, gekreukt en gerimpeld. Hij zag eruit als een babyolifant.
'O, nee,' fluisterde Alice.
'O, ja,' zei ik.
De babyolifantenjongen was Koekie uit onze klas.

'Waarom loop je zo raar, Emma?' vroeg hij. 'En waarom heb je die rare zwarte pruik op, Alice?'
'Hou je mond, Koekie! We zijn vermomd,' siste ik. 'Ik ben een jongen.'
Koekie knipperde met zijn ogen. 'Ben jij ook een jongen, Alice?'
'Nee, domoor. Ze is een meisje. Ze heeft een jurk aan. Maar ze heeft een zwarte vlecht, dus ze is ook vermomd.'
'Hou je mond, Em. Niks tegen hem zeggen,' zei Alice die aan mijn arm trok.
Ze had nooit een hoge dunk gehad van Koekie. Ze raakte vaak geïrriteerd als hij en ik elkaar uitdaagden.
'O, vertel verder. Nu ben ik ontzettend nieuwsgierig. Vertel me wat jullie van plan zijn, Emma.'
'Vertel ons wat *jij* van plan bent in dat gekke pak,' antwoordde ik.
'Ja, ik weet het. Ik zie er echt uit als een sufferd,' zei Koekie.

'Ik moest het aan van mijn moeder.' Hij knikte naar de dame in het roze die op een schuimpje leek en die de baby in de kanten jurk vasthield. 'Dat is mijn moeder. En dat is mijn babyzusje Polly. Ze is net gedoopt. We geven thuis een feest. Met zes soorten broodjes en chips en worstjes en allerlei lekkers. Op de dooptaart zit een dikke laag wit glazuur van suiker met daarop POLLY in het roze. En er zit een roze marsepeinen baby bovenop. Ik heb mama geholpen met de taart en ik krijg het stuk met de baby. Dat heeft ze me beloofd.'
'Jakkes,' zei Alice. Ze trok weer aan mijn arm. 'Kom. Schiet op!'
'Kom, waar naartoe?' vroeg Koekie. 'Waar zijn jullie moeders? Zijn jullie alleen op pad?'
'Nee,' antwoordde Alice. 'Mijn moeder is daar om de hoek.' Ze liegt niet zo goed als ik.
'Wat een onzin,' zei Koekie. 'Welke hoek? Hé, jullie tweeën. Jullie zijn toch niet weggelopen? Of wel?'

We verstijfden allebei.
'Doe niet zo gek!' riep ik.
'Gek. Dat ben ik. Dat is mijn specialiteit,' antwoordde Koekie met rollende ogen en zijn tong slap uit zijn mond. Toen trok hij weer een ernstig gezicht. 'Jullie lopen *echt* weg! Jullie zijn de gekken. Omdat Alice gaat verhuizen, zeker?'
'Niet waar. Natuurlijk lopen we niet weg,' zei ik. Ik was woedend omdat hij de situatie in een paar tellen had doorzien. Zo was Koekie. Hij zag er sullig uit en hij gedroeg zich vaak zo sullig dat je vergat dat hij een briljant stel hersenen had.
'Je liegt, Em. Ik weet altijd wanneer je liegt. Weet je nog toen we die rare-broodjes-wedstrijd hielden. Jij at mijn broodje met koude spruiten en klonterige vla op. En je zei dat je je niet misselijk voelde. En *toen*, wat gebeurde er toen?'
'Hou je mond,' zei ik zwakjes en mijn maag keerde zich om bij de herinnering.
'Bemoei je met je eigen zaken, Koekie,' zei Alice. 'Kom, Emma. Nu!'
'Is het gewoon een spel?' vroeg Koekie. 'Jullie zouden toch niet echt zo gek zijn, of wel? Hoe komen jullie aan eten?'
'Ik had kunnen weten dat jij eerst en vooral aan eten zou denken,' zei ik bits. 'Maak je geen zorgen, we hebben bergen geld. Laat je centen eens rinkelen, Alice.'
'Maar waar gaan jullie naartoe? Wie gaat voor jullie zorgen? Wat gaan jullie doen als jullie een of andere griezelige gek tegenkomen?'
'We nemen de trein naar Londen. We kunnen wel voor onszelf zorgen. En als er een griezelige gek te dichtbij komt, spuug ik hem in zijn gezicht en geef ik hem een trap,' zei ik fel. Toen liet ik me door Alice wegtrekken.

Koekie riep ons luid na. Ook zijn moeder staarde ons na, *en* een paar genodigden.
'Ojee, we kunnen er beter vandoor gaan,' zei ik.
Dus begonnen we weer te rennen. Sneller en sneller. Verder en verder. Alice werd opnieuw hoogrood. Ze greep de hele tijd naar haar zij. Ik wist dat ze pijnlijke steken had in haar buik. Ik ook. Maar we konden niet stil blijven staan, anders zouden ze ons te pakken krijgen. We renden moeizaam verder, de straat uit. We durfden niet om te kijken om te zien of we gevolgd werden. Toen we de hoek omsloegen, zag ik opeens een bus met STATIONSLAAN erop.
'Snel! Spring in die bus, Alice!'
De bus reed langs een hele lange omweg naar het station. Hij cirkelde om en om de huizen heen. Maar het was een opluchting om gewoon in een stoel neer te ploffen en naar adem te happen.
'Ik begrijp niet waarom je maar bleef kletsen met die stomme Koekie,' zei Alice. 'Ik kan hem niet uitstaan.'
'Koekie is oké. Hoewel hij er belachelijk uitzag in dat pak!'
'Hij *is* belachelijk. Zo dik,' zei Alice met van die bolle wangen zoals hij.
'Daar kan hij niets aan doen.'
'Natuurlijk wel! Hij zit de hele dag te bikken bikken bikken.'
'Nu je het daarover hebt, ik sterf! We hadden pas ná de barbecue moeten weglopen,' zei ik en ik wreef over mijn rommelende buik.
'Zodra we uit de bus stappen, kopen we iets kleins te eten,' antwoordde Alice. 'Wanneer komen we in hemelsnaam bij het station?'
Toen de bus de Stationslaan insloeg, sprongen we meteen

overeind om op het knopje te drukken. We waren iets te enthousiast: de Stationslaan bleek een heel erg lange straat te zijn. Maar goed, we gingen een krantenwinkel in en ik koos een reep chocola en een reuze Mars en een zakje paprikachips en een chocoladeijsje. Alice koos een pakje roze en witte marshmallows. Ik denk dat ze die koos omdat ze er leuk uitzagen. Ze at er maar een paar – dus hielp ik haar.
'Als je niet uitkijkt, word je zo dik als Koekie,' zei Alice.
'Je hebt echt een hekel aan die arme jongen,' zei ik terwijl ik voor mijzelf een raar maar lekker marshmallow-chocoladetaartje maakte. 'Misschien is het maar goed ook als ik wat dikker word. Ik moet er helemaal anders uitzien nu we weggelopen zijn. Kon ik maar langer worden in plaats van dikker, dan kon ik een of andere baan nemen en geld verdienen.'
Ik had jongens zien werken op de markt: ze renden rond, haalden spullen en sorteerden die. Dat was iets voor mij: rondrennen en spullen halen en sorteren.
'Dat kan ik ook. Makkie,' zei ik en ik kneep Alice geruststellend in haar hand.
'Je plakt helemaal,' zei Alice, maar ze kneep terug. 'Oké, als jij een baan neemt, zal ik boodschappen doen en koken en het huishouden doen. Ik kan koken. Nou ja, ik weet hoe je toast maakt en eieren kookt en dingen uit blik klaarmaakt. Witte bonen in tomatensaus, bijvoorbeeld.'
'Ik ben dol op witte bonen in tomatensaus,' zei ik, maar ik dacht na over wat Alice zei. *Het huishouden doen*. *Welk* huis? Alice dacht precies hetzelfde. 'Waar gaan we wonen, Em?' zei ze met een heel dun stemmetje. Ze zag eruit alsof ze ieder moment kon gaan huilen.
'Dat is eenvoudig,' zei ik vastberaden. Ik kan er nooit tegen

als Alice huilt, ook al doet ze dat vaak. 'Er staan vast enorm veel huizen leeg in Londen. We vinden er wel een en dan kruipen we naar binnen. Ik klim door een raam – je weet dat ik goed kan klimmen. En dan maken we het huis schoon en we maken het er gezellig. Onze eigen plek. Zoals toen we klein waren en we in de tuin huizen maakten van kartonnen dozen, weet je nog?'

'Goed,' zei Alice, hoewel er tranen over haar gezicht begonnen te rollen.

We wisten allebei dat het niet goed was. We waren geen kleine kinderen van vijf die met plastic theeservies en beren en barbies speelden. We waren twee meisjes die echt wegliepen. We hadden geen idee waar we heen moesten gaan in Londen. De griezelige gek van Koekie begon door mijn hoofd te spoken.

'Londen, hier komen we dan,' zei ik, toen we in de verte – helemaal aan het andere eind van de straat – het station zagen liggen.

We liepen flink door, hand in hand, terwijl we dapper naar elkaar glimlachten. De tranen rolden nog steeds over Alices wangen, maar we deden allebei alsof we dat niet merkten. We liepen het station in en gingen naar het loket.

'Twee kinderkaartjes naar Londen, alstublieft,' zei ik zo gewoon mogelijk. Ik had de vijf minuten daarvoor steeds in mijn hoofd geoefend wat ik zou zeggen.

'Met wie reizen jullie dan, meisjes?' vroeg de kaartjesverkoper.

Op die vraag had ik me ook voorbereid. 'Met mijn vader,' antwoordde ik. 'Hij is in de kiosk, een krant kopen.'

De kaartjesverkoper keek me vermanend aan. 'En zijn kaartje dan?'

'Hij heeft er geen nodig. Hij heeft een abonnement,' loog ik.
Alice keek me vol bewondering aan. De kaartjesverkoper leek overtuigd. 'Enkele reis of retour?' vroeg hij.
'Enkele reis,' antwoordde Alice. 'We komen niet terug.'
'Vijftien pond, dame,' zei de man.
Ik voelde me alsof ik vijftien stompen in mijn maag had gekregen. '*Vijftien pond!*'
'Voor jullie samen,' zei de kaartjesverkoper.
Ik kon niet geloven dat het zo duur was. Alice zocht in haar zakken naar geld. Ze vond een strak opgevouwen briefje van vijf pond. En ze viste er vijf muntstukken van een pond uit. En toen nog een. En nog een. Twee munten van vijftig cent. Ze telde de rest van de munten, een voor een, terwijl de man zich verbeet.
De chocolade en de chips en de marshmallows tolden als een zoetzure brij door mijn maag. Als ik niet zo gulzig was geweest, hadden we meer dan genoeg gehad. Ik schaamde me diep.
'Twintig cent, vijf cent, een, twee, drie, vier, vijf, zes en twee muntjes van twee cent. Joepie!' riep Alice. 'We hebben het gehaald. Vijftien pond.'
Ze stapelde de centen op op het kleine draaiplankje. De kaartjesverkoper deed er een hele tijd over om het geld te tellen. Hij controleerde twee keer, maar uiteindelijk drukte hij onze kaartjes af.
We gristen ze snel mee, voor hij van gedachten kon veranderen en we stoven de tunnel naar het perron in. Het was een lange, galmende tunnel. Ik gilde schril whoeeee. En om ons heen klonk het overal whoeeeeeeee, alsof vijftig Emma's in koor uitbundig joelden.

'Ssstt,' siste Alice. En vijftig zachte *ssstts* wezen ons terecht. We begonnen allebei te lachen en boven onze hoofden galmde de echo van ons gegiechel terwijl we heel de tunnel door renden.

'We hebben het gehaald!' riep ik toen we het perron opkwamen en ik gaf Alice een stevige knuffel. De trein naar Londen werd aangekondigd op het bord. Over twee minuten zou hij komen. 'We hebben het echt gehaald. Londen, wij komen er aan!'

Maar nee. We hadden het helemaal niet gehaald.

We kwamen helemaal niet in Londen aan.

We hoorden gegil vanaf de parkeerplaats achter het perron. We zagen een taxi. Mijn moeder en vader en de moeder en vader van Alice sprongen eruit. Ze zwaaiden met hun armen. Ze riepen onze namen.

'O, help,' zei ik en ik pakte Alice vast. 'Snel! Rennen!'

We konden nergens naartoe. We zaten in de val op het perron. Ik zag de trein naar Londen in de verte verschijnen.

'Schiet op, trein, alsjeblieft!' Ik probeerde hem te dwingen snel dichterbij te komen zodat we erin konden springen en naar Londen vluchten, naar ons nieuwe leven. Maar de trein was nog steeds zo klein als een speelgoedtrein en onze ouders kwamen het perron oprennen.

Alices vader sloot haar in zijn armen. Haar moeder barstte in tranen uit. Mijn moeder greep mij bij mijn schouder en schudde me door elkaar tot het geraas in mijn oren harder klonk dan de het gebulder van de trein.

Zes

Ze dachten allemaal dat het mijn idee was om weg te lopen. Ik besloot dat het me niet kon schelen. Tenslotte wilde ik niet dat Alice problemen kreeg.
Ik kreeg HEEL GROTE problemen. Mama was vreselijk boos op me. Ze probeerde niet teveel te zeggen zolang de familie van Alice erbij was, maar toen we thuiskwamen, schudde ze me opnieuw door elkaar. En ze gilde, met haar gezicht zo dicht bij het mijne dat haar speeksel in mijn gezicht spatte. Ze wilde dat ik ging huilen en haar zei dat het me speet. Ik beet op mijn lippen en staarde recht voor me uit. Ik zou niet één traan laten. Zelfs geen kleine. Niet waar ze bij was. Ik *had* geen spijt. Ik wilde dat ik was weggelopen, voor altijd en altijd en altijd.
Mama stuurde me naar mijn kamer. Ik lag op mijn bed met mijn gezicht in het kussen. Na een tijdje kwam papa naar boven en ging naast me op bed zitten. Hij klopte me wat onhandig op mijn rug.
'Kom op, Em, niet huilen,' zei hij.
'Ik huil niet,' zei ik met een dikke tong, mijn hoofd nog in het kussen.
'Je moeder overdreef, pop. Dat weet ik. Maar je hebt ons vreselijk laten schrikken. We waren zo geschokt toen we dat telefoontje van mevrouw McVitie kregen. Ze zei dat jullie tweeën door de stad zwierven, helemaal alleen. En dat jullie op weg waren naar het station...'

Koekie! De verrader! Hij had ons verklikt. Alice had gelijk. Ik wilde zijn grote bek volproppen met al zijn verdomde lievelingskoekjes – wafels en roomgebakjes en stroopwafels en zoete broodjes en zandkoekjes en tarwekoekjes en koekjes met chocoladesnippers – zodat hij zou stikken.
'Had je er geen idee van hoe gevaarlijk het was om weg te lopen? Twee kleine meisjes alleen op pad...' Papa rilde, het bed schudde. 'Er hadden allerlei dingen kunnen gebeuren. Je moet me beloven nooit nooit nooit meer weg te lopen. Hoor je me?'
Ik wilde hem niet horen. Ik legde mijn handen over mijn oren. Na een tijdje droop hij af.
Ik bleef liggen, mijn hoofd nog steeds in het kussen gedrukt. Maar toen, zelfs met mijn oren dicht, hoorde ik de taxi van papa vertrekken. Ik rende naar het raam. Mama zat achterin. Ze zag er verslagen uit.
Ik bonkte op het raam. 'Gaan jullie terug naar het huis van Alice? Ik wil ook mee! Alsjeblieft! Ik heb geen afscheid van haar genomen.'
Mama en papa keken niet naar boven. De taxi reed weg. Ik stormde mijn kamer uit, maar Max kreeg me op de overloop te pakken.
'Laat me gaan! Ik moet naar het huis van Alice!' gilde ik.
'Je kunt niet gaan, Em. Je bent niet welkom. Je hebt het nu echt verpest, dat weet je. Hou op met vechten, jij. Au! Schop me niet. Ik sta aan jouw kant!'
'Breng me dan naar haar toe! Op je fiets, Max. Alsjeblieft, alsjeblieft!'
'Luister, ze zullen je toch niet bij Alice laten, ook al breng ik je. Haar ouders werden helemaal gek toen ze ontdekten dat jullie

vermist waren. Je had ze moeten horen.'
'Ik begrijp niet waarom. Ze geven geen zier om ons. Anders zouden ze ons niet uit elkaar halen,' zei ik, maar ik hield op met Max te schoppen. 'Niemand lijkt iets om Alice en mij te geven, en om wat *wij* willen. Stel je voor dat je Ayesha niet meer mocht zien.'
'Dat is anders.'
'Niet waar, dat is niet anders!' zei ik, terwijl ik met mijn vuisten op zijn borst timmerde. 'Je denkt dat wij geen *gevoelens* hebben, gewoon omdat we kinderen zijn.'
'Oké, oké! Wind je niet opnieuw op. En hou op met me te slaan!' Hij greep mijn polsen beet.
Ik probeerde hem tegen zijn schenen te trappen, maar ik zorgde ervoor dat ik hem met de punt van mijn sportschoen nauwelijks raakte. Ik wist dat Max gelijk had. Hij kon niet veel doen, maar hij stond aan mijn kant.
Jasper bleef uit de buurt. Hij haat drukte. Maar Dolle Hond kwam achter me aan toen ik stampvoetend terugliep naar mijn kamer. Hij sprong naast me op het bed en begon vol liefde mijn gezicht te likken. Niet echt een prettige ervaring, want Dolle Hond is een beetje een stinkende hond, hoe vaak Jasper

hem ook in bad doet en zijn tanden poetst. Maar hij probeerde me te troosten.
Ik hoorde de taxi van papa terugkomen. De voordeur sloeg dicht. Er klonken voetstappen op de trap. Mama's hoge hakken deden tak tak tak op het tapijt. Ze zwaaide de deur van mijn slaapkamer open. Ze hield de kanariegele jurk in haar hand en gooide die naast me op het bed.
'Ik hoop dat je tevreden bent, jongedame! Je hebt het feest volledig verknald. Ze moesten een *dokter* roepen omdat de moeder van Alice nog steeds hysterisch was. Alle gasten zijn gegeneerd naar huis gegaan. Ze lieten vijftig steaks achter en vijftig halve kippen en vijftig gebakken aardappels. Die kunnen ze weggooien. *En* alle toetjes, kwarktaart met kersen, tiramisu, pudding.'
'Had je niet iets kunnen meebrengen?' vroeg ik.
Ik wilde niet brutaal doen. Ik vond het gewoon erg dat al dat verrukkelijke eten verloren ging. Een klein beetje erg, een kleine traan in vergelijking met de enorme waterval van pijn en tranen die ik voelde omdat ik Alice voor altijd zou verliezen. Mama begreep het niet.
'Je bent een *ongelooflijk* egoïstisch, hebzuchtig kind, Emma Jackson! Ik kan niet geloven dat ik zo'n dochter heb! Hoe kun je op een moment als dit alleen maar aan jezelf en je eigen kleine dikke buik denken?' schreeuwde mama.
'Ik *dacht* niet aan mijn buik. Bovendien, hoe kan die nu tegelijkertijd klein *en* dik zijn. Dat slaat nergens op,' schreeuwde ik terug.
Niet verstandig.
Ik moest van mama in mijn kamer blijven en ik miste het avondeten. Ik had de lunch al gemist, dus eigenlijk liet ze me

sterven van honger. Oké, ik weet dat ik chocola en chips had gegeten en de marshmallows van Alice. Maar dat waren maar kleine hapjes.
Ik lag op mijn bed en ik voelde me ellendig. Het water liep mij in de mond van de geuren die uit de keuken kwamen. Spek. Heerlijk, sissend, hartig, krokant spek! Ik legde mijn hand op mijn rommelende buik. Die voelde nu helemaal niet dik. Ze lieten me verhongeren. Ik werd een skelet. Mama zou spijt hebben als ze me 's ochtends wakker kwam maken en een triest klein meisje zou vinden, vel-over-been, dat verdronk in haar pyjama van de Hulk.
Ik woelde en draaide en raakte helemaal verstrikt in de kanariegele satijnen jurk. Ik sloeg hem weg. Ik haatte de gladde slappe stof van die jurk. Opeens voelde ik iets in een van de grote stomme pofmouwen. Iets dat ritselde en kraakte. Een briefje! Ik trok het eruit en zag het vertrouwde nette handschrift van Alice in haar beste felroze inkt. Het briefje stond stijf van de stickers: hartjes, kusjes, bloemen, vogels en lachende zonnetjes.

Allerliefste Em,
Ik heb het hier helemaal verpest en ik durf te wedden dat jij ook in de problemen zit. Ik vind het zooooo erg dat jij de schuld kreeg. Ik probeerde mama te vertellen dat het allemaal mijn idee was, maar ze wilde me niet geloven. Je weet hoe ze is. Ik vind het ook zooooo erg dat we niet echt afscheid konden nemen. Ik wilde dat ik niet naar Schotland hoefde. Ik zal je heel erg missen. Ik zal je NOOIT vergeten. Je bent de beste vriendin van de wereld.
Liefs van Alice xxxxx

Ik las mijn brief opnieuw en opnieuw, telkens weer. Mijn vinger gleed over iedere roze lijn en ik streelde elke sticker. Toen verstopte ik de brief tussen de pagina's van mijn allermooiste boek: *Het betoverde woud*. Het was van opa geweest, toen hij een jongen was. En toen ik klein was, las hij het me voor. Ik wenste dat Alice en ik het betoverde woud zouden vinden. Dat we in de magische boom konden klimmen en de ladder opklauteren naar het Land van Daarboven – om nooit nooit nooit meer terug te komen.

Maar ik zat opgesloten in mijn kamer. Eigenlijk was ik een gevangene. Alice ging verhuizen, ze zou honderden kilometers hiervandaan gaan wonen. Ze had me een prachtige afscheidsbrief geschreven, maar ik kon haar er geen terugsturen. Onmogelijk. Ik had nu zoveel honger dat ik niet meer normaal kon denken. Ik doorzocht alle kleren in mijn kleerkast, de zakken van mijn jasjes en mijn spijkerbroeken. Ik vond een heel erg oud snoepje in de zak van mijn winterjas. Ik likte eraan en proefde vaag de smaak van een toffee-van-lang-geleden. Dat deed me nog meer watertanden. Ik rommelde in mijn schooltas, en vroeg me af of ik misschien een vergeten reep chocola zou vinden, of een restje van een boterham. Maar ik had geen geluk.

Opeens hoorde ik voetstappen. Ik wipte snel terug op het bed. Misschien was het mama. Maar de voeten sprongen en dreunden, dus ik raadde dat het Max was. Hij stormde naar binnen en gebaarde uitvoerig dat ik stil moest zijn. Hij stopte een broodje met spek in mijn hand en stond met een sprong weer buiten. Ik had nauwelijks de tijd om hem te bedanken.

Het broodje was lauw en een beetje slap omdat Max het in zijn broekzak had gestopt. Maar dat vond ik helemaal niet erg. Ik

ging achterover op mijn kussen liggen en genoot van iedere hap. Een broodje met spek had nog nooit zo verrukkelijk gesmaakt. Ik voelde me schuldig omdat ik zo'n gezonde eetlust had op de vreselijkste dag uit mijn leven. Maar ik leek het niet te kunnen helpen. Alice mocht dan helemaal geen trek meer hebben, *ik* kreeg razende honger van verdriet.
Nog meer voetstappen. Twee stevige stappen en vier hollende poten. Jasper en Dolle Hond sprongen mijn kamer binnen.
'Heb je nog een broodje met spek voor me?' vroeg ik hoopvol.
'Tja, ik probeerde er een in mijn zakken te stoppen, maar Dolle Hond schrokte hem op terwijl ik hem nog in mijn hand hield,' antwoordde Jasper.
'O, barst! Dus je bent alleen maar naar boven gekomen om me dat te vertellen?' vroeg ik.
'Ik kwam om je dit te lenen,' zei Jasper en hij gaf me zijn mobieltje. 'Je kunt Alice sms'en.'
'Maar ze *heeft* geen mobieltje.'
'O. Oké, tot zover een goed idee,' zuchtte Jasper.
'Ik zou haar kunnen bellen op hun vaste lijn.'
Jasper staarde me aan. '*Geen* goed idee, Em. Ze zullen niet zo blij zijn dat je belt, om het zachtjes uit te drukken.'
'Ik wil alleen maar dag zeggen tegen Alice,' zei ik terwijl ik het nummer draaide.
'Hallo?'
De moed zonk me in de schoenen. Het was de moeder van Alice. Ik had gehoopt dat die nog steeds hysterisch in haar kamer lag. Ik wist nu dat ik geen kans maakte. Ze zou de hoorn neergooien zodra ze mijn stem hoorde. Mijn stem. Ik haalde diep adem, legde mijn hand over mijn mond om mijn stem te dempen, en toen zei ik met de meest domme, snobis-

tische, verwaande stem: 'O, goedenavond, mevrouw Barlow. Het spijt me dat ik u stoor.'
Jasper staarde me met opgetrokken wenkbrauwen aan. Zijn lippen vormden een vraagteken. Zelfs Dolle Hond stopte met hijgen en keek me verbaasd aan.
'Met wie spreek ik?' vroeg tante Karen.
'Met Francesca Gilmore-Brown,' antwoordde ik.
Francesca Gilmore-Brown is een onuitstaanbaar kind. Ze zit bij Alice op ballet. Ik deed vroeger ook ballet, maar het verveelde me en ik begon de boel te verknoeien. De juf zei dat ik met de lessen moest stoppen tenzij ik ze serieus nam. Dus stopte ik ermee omdat ik dat gehuppel *onmogelijk* serieus kon nemen. Ik had gehoopt dat Alice ook zou stoppen, maar zij vond ballet

echt *leuk*. Zeker toen ze werd gekozen voor het eindejaarsoptreden. Ze was er helemaal klaar voor om een glimmende, roze tutu te dragen als een van de elfjes uit de Notenkraker.
Francesca Gilmore-Brown was ook een elfje. Ze deed in ieder geval heel suikerzoet. Ze werkte niet alleen mij op de zenuwen, maar ook Alice. Tante Karen was in de wolken. Dat zo'n chique, rijk meisje als Francesca de vriendin van Alice wilde zijn. Ze had niet door dat dat nooit zou gebeuren. *Ik* ben de vriendin van Alice.
'O, Francesca!' zei tante Karen op een gemaakt-vriendelijke manier. 'Zou je wat harder kunnen spreken, liefje. Je stem klinkt zo gedempt.'
Ik hield mijn hand over mijn mond. 'Ik heb net gehoord dat Alice naar Schotland gaat verhuizen. Zou ik alsjeblieft afscheid van haar kunnen nemen?'
'Afscheid nemen? Alice is eigenlijk boven in haar kamer omdat... Ach, laat maar, liefje. Natuurlijk kun je afscheid nemen.'
Ik hoorde hoe ze Alice riep om aan de telefoon te komen.
Ik wachtte. Toen hoorde ik Alice op de achtergrond roepen. 'Is het Emma?'
'Nee, het is *niet* Emma. Je weet heel goed dat ze niet welkom is. Nee, Alice, het is Francesca.'
'Wie?' vroeg Alice.
'Schat!' zuchtte tante Karen. 'Francesca Gilmore-Brown, dat leuke kleine meisje van ballet.'
'O, die,' mompelde Alice. 'Ik wil niet met haar praten.'
'Ssstt! Straks hoort ze je nog! Doe niet zo raar. Natuurlijk wil je met Francesca praten.' Ik hoorde het gerinkel van een gouden armband toen ze de telefoon aan Alice gaf. Daarna herkende ik de stem van Alice.

'Hallo Francesca,' zei ze zonder enthousiasme.
'Het is niet die stomme Francesca. Ik ben het!' fluisterde ik.
'O!' piepte Alice.
'Niks zeggen! Maak je moeder niet achterdochtig. O, Al, is het niet vreselijk? Ik kan niet geloven dat ze zo gemeen tegen ons doen. Mijn moeder heeft me in mijn kamer opgesloten en ze doet alsof ze me hier voor altijd gaat houden. Ze geeft me zelfs geen eten! Kun je dat geloven? Ze hongert me uit tot ik dood-ga.'
'Mijn moeder probeert me te dwingen om te eten. We hebben al dat eten van de barbecue over. Schalen en schalen en scha-len vol. En morgen verhuizen we,' zei Alice.
'Ik kan het niet verdragen dat je weggaat. Hadden we die trein maar gehaald!'
'Ik weet het,' zei Alice.
'Ik zou het niet erg gevonden hebben om hele nachten door de straten te zwerven of in de goot te slapen, zolang we maar samen waren,' zei ik.
'Dat denk ik ook,' zei Alice.
'Staat je mam daar nog?' vroeg ik.
'Ja,' antwoordde Alice.
'Ik zou willen dat ze opkraste.'
Alice barstte in lachen uit. 'Ik ook!'
'Wat zegt Francesca?' vroeg tante Karen.
'Ze... Ze maakt gewoon een grapje. Om me op te vrolijken, mam,' antwoordde Alice.
'Zo'n lief meisje,' zei de moeder van Alice. 'Waarom kon je *haar* niet als vriendin kiezen?'
'Ssstt, mam,' zei Alice.
'Als ze eens wist!' fluisterde ik. 'Alice, heel erg bedankt voor je

mooie mooie brief. Wat een supergoed idee om die in mijn vreselijke jurk te verstoppen. Zul je me nog meer brieven schrijven als je in Schotland bent?'
'Natuurlijk doe ik dat.'
'Ik zal jou ook schrijven. Stapels en stapels en stapels. En ik zal je bellen. Iedere dag.'
'Niet met mijn telefoon,' kwam Jasper tussenbeide. 'Schiet op, Em, het kost me een fortuin.'
'Dat zal ik doen, Alice. Ik zal schrijven en telefoneren en ik zal je *op de een of andere manier* komen opzoeken.'
'O, Emma,' snikte Alice.
Toen hoorde ik een gil en gerinkel en de lijn was dood.
Tante Karen had onze verbinding verbroken.
Voor altijd, leek het wel.

Zeven

Het voelde zo vreemd om helemaal alleen op school te zitten. Nou ja, ik was niet echt alleen, natuurlijk. Er zaten achtentwintig andere kinderen in onze klas en bijna vijfhonderd op de hele school. Plus alle leraren en hulpleraren en Meneer Maggs, de conciërge. Maar zonder Alice leek het een enorm leeg galmend gebouw.

We waren hand in hand naar de eerste klas gegaan en sindsdien hadden we in iedere klas naast elkaar gezeten. Ik kon het niet verdragen om naast de lege stoel en tafel van Alice te zitten. Ik zat er met mijn rug naartoe gedraaid en ik dook ineen tot mijn kin op de tafel rustte.

Koekie pookte me in de rug met een reusachtige Mars. 'Hé, Emma, waarom ben je opeens zo klein? Ben je veranderd in Alice in Wonderland? Je zou beter een knibbelige knabbel kunnen nemen van mijn Mars,' siste hij.

Ik draaide me om en ik staarde hem aan. Mijn ogen brandden als laserstralen. Koekie keek alsof hij verschroeide.

'Wat? Wat gebeurt er? Wat is er? Ik bedoel... Je voelt je waarschijnlijk rot zonder Alice. Dat weet ik. Zou je willen dat ik naast je kwam zitten, op haar plaats?'

'Nee. Dat zou ik niet willen. Zelfs als je mijn beste vriend was, zou ik niet naast je willen zitten, want je bent zo immens dik dat je me tot moes zou verpletteren. Maar nu ben je mijn ergste vijand. En dus wil ik zelfs niet in dezelfde klas zitten. Niet in dezelfde school zijn, dezelfde straat, stad, land, *wereld* als jij.'

Koekie knipperde met zijn ogen. Hij keek me totaal verrast aan. Zijn Mars lag slapjes in zijn hand. 'Niet zeggen dat ik dik ben, Emma! Waar heb je het over? We zijn vrienden, jij en ik. Altijd geweest.'

'Tot gisteren,' antwoordde ik.

'Maar ik heb gisteren niet echt iets *gedaan*,' protesteerde Koekie.

'Je hebt ons verraden,' zei ik.

'Niet waar. Goed, ik heb mijn moeder verteld wie jullie waren, toen ze ernaar vroeg.'

'Precies. En zoals je heel goed weet, heeft zij gebeld en het aan *onze* moeders verteld. En die kwamen naar het station gestormd en hebben ons tegengehouden, zodat we niet meer samen weg konden lopen. Je hebt alles verknald. Dus kijk maar niet alsof je de onschuld zelve bent, want eerlijk gezegd maakt je uitdrukking me misselijk. En ik zou je wel eens recht in je dikke gezicht kunnen slaan.'

'Ik zei net al, noem me niet dik! Ik kan het niet helpen dat mijn moeder *bezorgd* was om jullie. En als je me probeert te slaan, sla ik meteen terug. Oké?'

'Oké,' zei ik. 'Dan gaan we vechten. Tijdens de pauze.'

'Je denkt dat ik een meisje niet durf te slaan. Maar als jij eerst slaat, sla ik terug.'

'Ja, en ik zal je een tweede keer slaan en een derde en een vierde en ik zal je blijven slaan. Wacht maar, je zult wel zien.' Ik was zo opgewonden dat ik vergat te fluisteren. Ik gilde zowat.

'Waar ben je in hemelsnaam mee bezig, Emma Jackson?'

vroeg onze juf, mevrouw Watson. Hou je alsjeblieft rustig en ga verder met je werk. Vooruit! Draai je om en laat Koekie met rust.'
'Graag!' mompelde ik en ik knalde weer terug op mijn stoel.
Mevrouw Watson leek me extra in de gaten te houden. Ze bleef de hele tijd in mijn richting kijken. Aan het einde van de les kwam ze naar me toe. Ze keek snel wat ik in mijn oefenboek had geschreven. Ik hield mijn adem in. We moesten een tekst maken met veel bijvoeglijk naamwoorden. Dat zijn beschrijvende woorden. En ik had besloten Koekie uitgebreid te beschrijven. Op sommige plaatsen was ik behoorlijk grof geweest. Ik streepte haastig het meest onbehoorlijke stuk door.
'Te laat, Emma. Ik heb het al gelezen,' zei mevrouw Watson.
Ik wachtte tot ze boos zou worden. Maar dat deed ze niet. Ze ging naast me zitten, op de lege stoel van Alice.
'Het is goed,' zei ze zachtjes.
Ik staarde haar aan.
'Nou ja, het is *niet* goed om beledigende retoriek te schrijven in je oefenboek. Zeker niet over een aardige jongen als Koekie,' verbeterde mevrouw Watson zichzelf.
Ik had er geen idee van wat beledigende retoriek was, maar het leek mijn paragraaf over Koekie prima samen te vatten.
'Koekie is *niet* aardig,' mompelde ik.
'Ja, dat is hij wel, liefje. Iedereen houdt van Koekie. Jij ook. Je bent niet echt boos op *hem*.'
'Dat ben ik wel!'
Mevrouw Watson boog zich naar me toe en fluisterde. 'Is het niet zo dat je je rot voelt omdat Alice er niet is?'
Ik deed mijn best om iets te zeggen, maar ik slaagde er niet in. Het was alsof twee handen mijn keel dichtknepen. Mijn ogen

deden pijn. Ik knipperde en er rolden twee tranen over mijn wangen.
'O, Emma,' zei mevrouw Watson. Ze klopte me zachtjes op de schouder, alsof ik een baby was. Ik *voelde* me ook een vreselijke baby. Huilen in de klas. Ik dook nog dieper in elkaar, zodat ik bijna onder mijn tafel zat.
'Ik weet dat je Alice heel erg mist,' zei mevrouw Watson. Ze gaf me een laatste schouderklopje en liep toen terug naar haar bureau.
Alice missen. Dat was de meest belachelijke, ontoereikende beschrijving die ik ooit had gehoord. Ik voelde me alsof ik verscheurd werd. Alsof ik de helft van mezelf was kwijtgeraakt: een oog, een oor, een lip, een duizelende hersenhelft, een arm, een been, een long, een nier en een halve ellenlange ketting darmen.
Ik vroeg me af of Alice hetzelfde gevoel had. Ze zat tenminste niet op school naast een lege stoel. Ze scheerde over de snelweg richting Schotland. Het zou wel spannend zijn voor haar, bijna als vakantie. En ze kreeg een nieuw huis en nieuwe huisdieren en een nieuwe school... en misschien zelfs een nieuwe beste vriendin.
Ik had niemand.
Ik wist niet wat ik moest doen tijdens de pauze. Ik liep altijd met Alice rond, behalve als Koekie en ik elkaar aanspoorden tot de meest verbazingwekkende heldendaden.
Ik herinnerde me opeens dat ik Koekie voor een echt gevecht had uitgedaagd. Ik balde mijn vuisten. Zo had ik tenminste iets te doen. Ik verwachtte niet dat Koekie goed zou vechten. Niet dat het er echt toe deed. Hij mocht me verrot slaan wat mij betrof.

Ik ging naar hem op zoek. Hij was nergens te vinden. Ik probeerde eerst de meest voor de hand liggende plaats, maar hij stond niet in de rij voor het snoepwinkeltje. Ik schuimde de speelplaats af, van links naar rechts en van voor naar achter. Ik doorzocht de gangen en ik vroeg me af of hij misschien in een hoekje chocola zat te smikkelen. Maar nee. Dus was er maar één plek waar hij kon zijn. Een plek waar ik niet naartoe kon.

Ik bleef voor de jongenstoiletten staan wachten. De armen over elkaar geslagen. Met mijn voet tikte ik ongeduldig op de grond

Ik wachtte en wachtte. Jongens duwden me opzij en maakten stomme opmerkingen. Ik slingerde een paar scherpe opmerkingen terug. Ik week geen duimbreed, zelfs niet als ze tegen me opbotsten.

'Waar wacht je eigenlijk op, Emma?'

'Ik wacht op Koekie,' antwoordde ik.

'Ooo, vind je hem dan leuk?'

'Ik vind het leuk om een vleespin door zijn lijf te prikken en hem aan het spit te roosteren,' antwoordde ik. 'Zeg hem dat ik wil opschieten met ons gevecht.'

'Je verspilt je tijd, Emma,' zei Jacob, een van Koekies vrienden. 'Hij is daar niet.'

'Ik durf wedden van wel,' zei ik.

Ik had even zin om recht naar binnen te lopen en zelf te kijken. Maar ik had het gevoel dat mevrouw Watson niet zo begrijpend zou blijven als ze me bij een gevecht in de jongenstoiletten betrapte. Dan zou ik weer naar Meneer Beaton worden gestuurd. Ik kon niet naar binnen. Dus moest ik Koekie naar *buiten* lokken.

Ik kreeg een klein loensend jongetje te pakken met een bril die scheef op zijn neus stond.

'Hé, jij. Ken je Koekie? Dat is die dikke jongen die zich altijd volpropt. Hij zit in mijn klas.'
Het jongetje knikte en probeerde met een duwtje zijn bril wat vaster te zetten. Iedereen op school kent Koekie.
'Ik wil dat je terugkomt en me vertelt of hij in de toiletten is, oké?'
De jongen knikte opnieuw en liep achteruit de wc's in. Hij bleef een tijdje binnen. Toen hij naar buiten kwam, zag hij er sluw uit. Zijn mond zat propvol snoepjes en er liep een vies spoor van chocola over zijn lippen. 'Hij is er niet,' mompelde hij, terwijl de kwijl van zijn kin droop.
'O, jawel. Hij is er wel. En hij betaalde je met snoepjes om dat niet te zeggen,' antwoordde ik.
'Niet waar. Hij gaf me de snoepjes omdat ik zijn vriend ben,' zei de kleine jongen trots en hij ging er als de bliksem vandoor.
Ik haalde diep adem. 'Oké, Koekie. Ik weet dat je daar binnen bent!' riep ik. 'Vooruit! Kom naar buiten, slappe lafaard!'
Ik wachtte tot de bel ging. Ik wachtte nog een minuut *nadat* de bel was gegaan. En toen piepte het hoofd van Koekie voorzichtig om de hoek.
'Ik heb je!' gilde ik, en ik rende naar hem toe.
'Help!' Koekie schreeuwde en begon als een gek door de gang te waggelen.
'Stop! Kom op, lafaard. Vecht met me!'
'Ik wil niet vechten! Ik *hou* niet van vechten. Ik ben voor vrede...' snaterde Koekie.
Hij probeerde weg te rennen, maar ik stormde op hem af en ik greep hem bij de riem van zijn enorme broek.
'Laat los!' riep Koekie. 'Je trekt hem naar beneden! Je bent sta-

pelgek geworden! Eerst wil je me in elkaar slaan en nu probeer je mijn broek uit te trekken. Help! Ik word aangevallen door een seksmaniak!'
'Billy McVitie! Emma Jackson! Waar zijn jullie in vredesnaam mee bezig?' brulde Meneer Beaton.
Meneer Beaton is een verschrikkelijk schoolhoofd. Hij is vreselijk oud en chagrijnig. Hij werkt al eeuwen op onze school. Hij gaf nog les aan mijn *vader*, kun je het geloven! Papa zei dat hij toen net zo chagrijnig was. En hij bewaarde een *spaans rietje om mee te slaan* in zijn kast met briefpapier. Misschien ligt dat rietje er nog steeds.
'Ga onmiddellijk naar jullie klas!' beval Meneer Beaton. Zijn arm zwaaide door de lucht alsof hij zijn rietje vasthield en ons een flink pak rammel gaf.
Ik rende voor mijn leven. Koekie probeerde ook te rennen, maar zijn broek was tot over zijn heupen gezakt en hij strompelde. Hij kwam minstens twee minuten na mij de klas binnen. Hijgend. Zijn gezicht was paars aangelopen.
Toen ik binnenkwam, had mevrouw Watson alleen haar hoofd geschud. Maar tegen Koekie viel ze scherp uit. 'Waarom ben je zo uitzonderlijk laat, Koekie? Wat heb je gedaan?'
Ik hield mijn adem in. Koekie moest juist op adem *komen*.
'Sorry... mevrouw... Watson... ben... gaan... joggen. Om... fit... te... worden.'
'Wel, het heeft blijkbaar nog niet geholpen,' antwoordde mevrouw Watson. 'En trek je broek fatsoenlijk op, jongeman, want dit ziet er grotesk uit.'
Koekie grinnikte en deed zijn broek goed door met zijn heupen te zwaaien als een hoelahoep-meisje.
De klas lag dubbel van het lachen. Ik stelde vast dat ik mee-

lachte. Zelfs mevrouw Watson kon nauwelijks serieus blijven.
'Altijd een clown, hè, Koekie,' zei ze. 'Maar goed, misschien moeten we vandaag allemaal wat opgevrolijkt worden.'
Ze keek vluchtig naar de lege stoel van Alice. Ik ook. En ik vroeg me af waarom ik net had gelachen terwijl ik alleen maar wilde huilen en huilen en huilen.

Acht

'Ach, schat. Wat een verdrietige kleine meid,' zei opa toen hij me kwam halen.
Hij stak zijn hand uit. Ik klampte me eraan vast als een kleine peuter. Ik wilde niets zeggen, want ik was totaal overstuur. Er liepen een heleboel kinderen van mijn school om ons heen. Ik wilde niet dat ze me zagen huilen.
Ik hield het vol tot we bij de flat van opa kwamen. We gingen pijlsnel omhoog in de muffe lift. Maar toen we door de voordeur naar binnen liepen, ademden we de heerlijk veilige geur van toast en oude boeken en pepermunt in.
Opa ging zitten in zijn grote zachte stoel en ik ging zitten op mijn grote zachte opa. Ik legde mijn hoofd tegen zijn wollen trui en begon hard te snikken.
'Toe maar, pop,' zei opa terwijl hij me dicht tegen zich aantrok. 'Goed zo. Huil maar eens uit.'
'Ik maak je trui helemaal nat,' snikte ik.
'Geen probleem. Hij mocht wel een keer gewassen worden,' zei opa.
Hij schommelde me heen en weer op zijn knie, maar ik bleef huilen. Toen ik na een tijd snuivend probeerde te stoppen, nam hij zijn grote witte zakdoek en liet me eens flink mijn neus snuiten.
'Ik voel me echt een baby,' zei ik.
'Onzin! Iedereen heeft het wel eens nodig om te huilen. Ik

snotter zelf soms ook,' zei opa.
'Jij *huilt* toch nooit, opa!' zei ik verbaasd.
'Jawel.'
'Ik heb je nog nooit zien huilen.'
'Dat doe ik als ik alleen ben. Toen je oma was overleden, heb ik mijzelf het eerste jaar daarna bijna iedere avond in slaap gehuild.'
'O, opa!' Ik sloeg mijn armen stevig om zijn hals.
Ik kon me oma niet echt herinneren. Ik wist dat ze klein was en zilveren krullen en een zilveren brilletje had. Maar dat kwam door de foto boven op opa's televisie.
'Kun je je oma herinneren?' vroeg opa.
'Ja, natuurlijk,' antwoordde ik. Het leek onbeleefd om nee te zeggen. Je kunt een of andere oude tante vergeten, maar toch niet je eigen oma.
'Je bent een lieve kleine jokkebrok,' zei opa die met zijn neus over mijn haar streek. 'Je was pas drie toen ze stierf.'
'Toch herinner ik me haar,' hield ik vol. Ik pijnigde mijn hersenen. Ik wist dat ik mijn speciale pop Melissa van oma had gekregen. Ik wenste nu dat ik haar niet aan Alice had gegeven.
Ik dacht aan poppen. 'Oma en ik speelden samen met de poppen. Ze liet mijn barbies op één been dansen, als cancandanseressen,' zei ik.
'Ja, dat is zo, schatje!' zei opa gretig. 'Je oma had een geweldig gevoel voor humor. En ze hield van dansen. Zo hebben we elkaar ontmoet, bij het dansen. Echt salondansen, hoewel we ook graag de jive deden. We hadden een speciaal nummer waarbij ik haar boven mijn hoofd zwaaide. En dan klapte iedereen.'
'Ik kan ook de jive dansen, opa. Max heeft het me geleerd.'

'Waar wachten we dan op? Kom op, boogiewoogie,' zei opa en hij knipte met zijn vingers. Hij kantelde me van zijn schoot en kwam overeind. Hij begon *Blue Suede Shoes* te zingen en wat onhandig op en neer te springen op zijn bruine ribfluwelen sloffen.

Ik deed mee en zwaaide mijn armen in de lucht. Opa greep mijn hand en liet me snel rondtollen. Toen pakte hij me beet en probeerde me over zijn schouder te zwieren. Hij kreeg me niet hoog genoeg de lucht in en we stortten samen neer.

'Sorry, liefje,' hijgde opa. 'Misschien zijn mijn jive-dagen voorbij! Je zult het met Max als danspartner moeten stellen.'

'Die danst nu met Ayesha.'

'Tja, dat is normaal. En Jasper is waarschijnlijk niet echt een danser?'

'Inderdaad niet!' antwoordde ik. 'Nee. Alice was altijd mijn danspartner. Alleen zal ik haar nooit nooit nooit meer zien.'

'Natuurlijk wel, schatje. Je kunt haar uitnodigen om tijdens de vakantie op bezoek te komen.'

'Haar moeder zou haar niet laten komen. Ze mag me niet. En ik durf te wedden dat ze mij ook nooit zal uitnodigen. Bovendien, hoe kan ik ooit naar Schotland gaan? De trein is veel te duur.'

'Maar het is tenminste een mogelijkheid,' zei opa. Hij kwam

overeind en ging de ketel opzetten voor een kop thee. 'Je *zou* er naartoe kunnen als we allemaal spaarden of de loterij wonnen of zoiets. Terwijl ik weet dat ik nooit op een trein naar de hemel kan springen om je oma te bezoeken. Op een dag zal ik dat natuurlijk doen, maar dan is het wel een enkele reis – zonder kans op een terugreis.'

'Niet zeggen, opa,' protesteerde ik. Ik kan het niet verdragen als hij praat over doodgaan, zelfs al maakt hij grapjes. 'Je gaat nooit nooit nooit dood, hoor je me.'

'Ik zal mijn best doen om hier nog even rond te blijven hangen, liefje. Maar goed, wil je ook een kop thee? Kijk eens in de koelkast. Misschien vind je wel een verrassing.'

Geen suikerkoekjes vandaag! Opa had slagroomgebakjes meegebracht.

Ik deed de doos open en staarde vol ontzag naar de inhoud. Ik zag een enorme roze tompoes, een glanzende chocolademoorkop, een rood aardbeientaartje en een groot stuk biscuitgebak dat droop van de jam en de room.

'O, jammie jammie!'

'Jammie, jammie. Mag niet van mammie,' lachte opa. 'Vooruit, Em, jij mag eerst kiezen. Maar niets tegen je moeder zeggen, of er zwaait wat, voor ons allebei. Ik weet dat het eigenlijk niet kan, maar ik dacht dat mijn schattepop vandaag opgevrolijkt moest worden.'
'Ik kan niet kiezen. Ik vind ze allemaal lekker!'
Mijn hand zweefde boven de tompoes, de moorkop, het taartje en het gebak, maar hij bleef rondjes draaien.
'Neem er twee,' zei opa. 'Maar laat in godsnaam vanavond thuis je eten niet staan.'
'Beloofd, beloofd. O, opa, help! *Welke* twee?'
'Ik weet het,' antwoordde opa terwijl hij een mes pakte. Hij sneed de tompoes keurig in twee stukken. Daarna de aardbeientaart en hij zorgde ervoor dat er twee-en-een-halve aardbei aan elke kant zat. Toen sneed hij het biscuitgebak in twee gelijke delen. Met de moorkop had hij de meeste problemen. De room spatte uiteen en de bol zakte in elkaar.
'Ik maak er echt hondenbrokken van,' lachte opa. 'Hier, eet alles maar op, liefje.'
Dus at ik de hele moorkop op. En daarna at ik de helft van de tompoes en de aardbeientaart en het biscuitgebak.
'O, opa, dat was het beste taartenfeest dat ik ooit heb gehad!' riep ik.
'Mijn god, je buik is vast zo groot als een tank,' zei opa. 'Hier, lik je lippen af. Ik wil niet dat je moeder de room ziet.'
'Nee, ik wil niet dat mama nog bozer op me wordt. Dat kan ik op dit moment niet gebruiken,' zuchtte ik.
Maar toen mama me kwam halen maakte ze niet de gebruikelijke drukte over eten. Ze tilde wel mijn kin omhoog om me aandachtig te bekijken, maar ze keek naar mijn ogen.

'Heb je gehuild, Emma?'
'Nee,' zei ik vastberaden.
'Hmm,' antwoordde mama.
Op weg naar huis sloeg ze haar arm om me heen. 'Ik weet dat je Alice vreselijk mist,' zei ze.
'Geweldig, mam,' antwoordde ik sarcastisch, terwijl ik me loswrong.
'Hé, mevrouwtje, doe maar niet zo brutaal! Je zit nog steeds in de problemen vanwege je fratsen van gisteren.'
'Dat kan me niet schelen. *Niets* kan me nog schelen.'
Mama zuchtte. 'Ik weet hoe verdrietig je je voelt. Tante Karen is mijn vriendin. Ik mis haar ook.'
'Niet zoals ik Alice mis.'
'Goed,' zei mama. 'Ik weet hoeveel Alice voor je betekent. Eigenlijk heb ik me vaak zorgen gemaakt over het feit dat jullie tweeën *altijd* samen waren. Het is soms leuker om een heel stel vrienden te hebben.'
'Ik wil geen stel vrienden. Ik wil Alice.'
'Alice is nu in Schotland. Ze zijn al in hun nieuwe huis, denk ik.'
'En ik zit hier vast,' zei ik terwijl we over het tuinpad liepen.
'Ik weet dat je je ellendig voelt, maar ik beloof je dat je nieuwe vrienden zult maken, Emma. Je *hebt* toch andere vrienden op school. Ik vroeg me af of je er misschien eens een paar zou willen uitnodigen op de thee?'
'Ik wil niemand op de thee.'
'En die gekke jongen met zijn brede grijns? Die op je feestje alle pudding met fruit opat? En het roomijs en de chocoladecake en alle worsten?'
'Koekie wil ik *zeker* niet uitnodigen.'

'Goed. Ik probeer alleen te helpen. Nu ben je verdrietig, maar over een paar weken ben je Alice helemaal vergeten. Dat beloof ik je.'
Ik staarde mama aan. Het had geen zin om iets te zeggen. Het was net of we op verschillende planeten zaten. Ze begreep er niets van.
Maar ze deed haar best om lief te zijn, hoewel ik officieel In De Problemen zat.
'Gisteren heb je... nou ja – op een of andere manier – niet erg veel gegeten. Je eigen schuld natuurlijk. Maar ik dacht dat we dat vandaag konden goedmaken. Ik zal je lievelingseten klaarmaken.'
'O... Bedankt mam,' zei ik.
Ik herinnerde me de laatste keer dat ik spaghetti bolognese had gegeten. Misschien had ik daar vandaag niet echt trek in. Ik had helemaal niet veel honger. De twee-en-een-halve roomgebakjes in mijn buik namen behoorlijk veel plaats in.
'Ik heb ook een speciaal toetje,' zei mama. 'Ik weet hoeveel je van gebak houdt. Tijdens de lunchpauze heb ik bij de bakker een grote chocolade-roomtaart voor je gekocht.'
Ik slikte. 'Mam, het probleem is dat ik eigenlijk niet zoveel honger heb.'
'Hou op met die onzin, Emma. Jij hebt altijd honger, wat er ook gebeurt.' Plotseling fronste mama haar wenkbrauwen. 'Opa heeft je toch niets te eten gegeven, hè?'
'Nee, niets. Echt niet,' antwoordde ik.
Ik hoopte dat ik honger zou hebben tegen de tijd dat mama de spaghetti klaar had. Ik liep zelfs rondjes in de tuin om trek te krijgen. Maar het hielp niet. Ik voelde me alleen maar misselijk en duizelig.

'Wat voer je in je schild, liefje?' vroeg papa die door de achterdeur naar buiten kwam. 'Door het raam zag ik je rondjes rennen. Hé, herinner je je dat spelletje nog dat ik vroeger met je speelde, toen je piepklein was? *Rondjes door de tuin, als een beer...'*
'Trippel trappel, kietel mij niet meer,' ging ik verder terwijl ik onder mijn eigen kin kietelde. 'Maar ik kan wel goed tegen kietelen, alleen niet onder mijn voeten. Alice niet.'
'Dat kun je wel zeggen! Zelfs als ik alleen maar deed alsof ik haar zou kietelen, begon ze al te krijsen. En dan werd ze helemaal hulpeloos,' zei papa. Hij sloeg zijn arm om me heen. 'Ik zal haar ook missen, Emma. Ze was net een tweede dochter voor me, die lieverd. Haar ouders zal ik niet echt missen. Die vond ik altijd al een beetje verwaand.'
'Vooral haar moeder.' Ik stak mijn kin in de lucht, streek over mijn denkbeeldige dure kapsel en probeerde met een verwaand popperig stemmetje te praten. *'Ja, we gaan verhuizen naar een fantastisch nieuw huis, omdat mijn Bob zo'n fantastische baan aangeboden kreeg. En we krijgen een gloednieuwe ingebouwde keuken met een oven hier en een kookplaat daar, en hier een plaat en daar een plaat en ook een knopje voor de vaat. Ja, en we hebben allemaal een eigen badkamerzaal met een douche zo krachtig als de Niagara watervallen. En Alice krijgt een heel stel pony's en al haar chique rijvriendjes zullen op bezoek komen en blijven slapen, en ze zal ze leuk vinden en een nieuwe beste vriendin maken...'*

Papa hield op met lachen. 'Jij zal altijd Alices beste vriendin blijven. Dat weet je,' zei hij en hij woelde door mijn haar. Hij tastte in de zakken van zijn jasje en vond een reep chocola.

'Hier, stop dat in je mond – maar niets tegen je moeder zeggen!'
Ik voelde me een beetje misselijk. Ik hoopte dat de chocola mijn maag zou kalmeren. Ik wist niet zeker of het een goed idee was, maar ik wilde papa niet kwetsen.
Eerst smaakte het oké, gewoon lekkere romige melkchocola. Toen begon het een beetje *teveel* naar chocola te smaken. Het was alsof mijn mond vol slibberige chocolademodder zat. Ik kreeg het moeilijk doorgeslikt.
'Dank je, papa. Dat was helemaal jammie,' mompelde ik, met mijn tanden op elkaar. Ik herinnerde me Pasen, vorig jaar, toen ik vijf grote chocoladepaaseieren en twaalf kleintjes had gegeten. Koekie en ik hadden een weddenschap. Hij zei dat ik ze

niet allemaal in een keer op kon eten. Ik hield vol dat ik dat wel kon. En ik had het fout.
Mijn maag kwam onaangenaam in opstand bij de herinnering. Ik besloot naar binnen te gaan. Misschien zou ik me wat beter voelen als ik even op bed kon ploffen.
Max kwam net thuis. Hij hield iets achter zijn rug verborgen toen hij langs de keukendeur liep. Hij wilde duidelijk niet dat mama het zou zien. Ik knikte zwakjes naar hem en sleepte mijzelf naar boven. Door de geur van bolognesesaus voelde ik me nog slechter.
'Hé, Em! Wacht even.' Max kwam achter me aan de trap oprennen.
'Hoe voel je je, zussie?'
'Niet geweldig,' mompelde ik.
'Hmm, dat dacht ik wel,' zei Max vol medelijden. 'Dit zal je wel opvrolijken.' Hij haalde een gigantisch ijsje tevoorschijn, met aardbeiensaus en twee chocoladestokjes erin.
'O!' stamelde ik.
'Ssstt! Zorg dat mama je niet hoort. Je weet hoe ze denkt over snoepen voor het eten. Ik weet niet waarom ze zo moeilijk doet, want jij hebt toch altijd trek.'
'Misschien – misschien deze ene keer – ik heb eigenlijk niet veel honger,' zei ik terwijl ik naar mijn buik greep. 'Mag ik het misschien later opeten, Max?'
'Het begint al te smelten. Kom op, Em! Eet op,' zei Max.
Dus dat deed ik. Ik likte de aardbeiensaus op, slikte het ijs door, knabbelde van de chocola. Ik at zelfs het hoorntje op. Max moedigde me aan.
'Dat is mijn zussie,' zei hij.
Ik strompelde naar mijn kamer en ging op bed liggen, met

mijn hand op mijn buik.
Het leidde me tenminste af van de ellende van Alice. Ik miste haar zoooooooo erg.
De geur van bolognese werd almaar sterker.
'Waar ben je, Emma?' riep mama. 'Het eten is klaar!'
Ik kwam heel langzaam overeind. Ik haalde diep adem en ik sleepte me naar beneden. Mama had de tafel speciaal gedekt met haar mooiste geborduurde tafelkleed en de rozerode borden die ze gewoonlijk voor visite gebruikte. De bolognese dampte in de speciale grote blauwe schaal. De chocoladetaart stond te glimmen op de glazen taartschotel. De room droop eraf.
Iedereen zat aan tafel, zelfs Jasper. Ze glimlachten allemaal bemoedigend naar me.
'Ga zitten, schat,' zei mama. 'Ik zal jou eerst eens opscheppen.'
Ze deed een extra grote portie spaghetti op mijn bord.
Ik keek naar de glanzend bruine vleessaus en de kronkelende spaghettiwormen.
Ik deed mijn mond open. En opeens moest ik overgeven – over de spaghetti, over de chocoladetaart, de rozige borden, het geborduurde tafellaken en over mijn eigen schoot.

Negen

Ik werd opnieuw naar bed gestuurd. Het leek erop dat mijn slaapkamer mijn permanente verblijfplaats zou worden. Ik zou er verbleken en wegkwijnen, voor altijd vastroesten in een horizontale positie, met alleen het plafond om naar te staren.
Ik zou het Meisje-in-de-slaapkamer zijn, dat niet echt bij de familie hoorde. Mama, papa, Max en Jasper zouden me vergeten. Ook Alice zou me vergeten. Maar ik zou haar nooit nooit nooit vergeten.
Ik ging overeind zitten en vond mijn schooltas. De kaft van mijn aantekeningenschrift schreef ik vol met 'ALICE IS VOOR ALTIJD MIJN BESTE VRIENDIN'. Ik schreef het op mijn boekbesprekingenschrift en daarna deed ik het schrift open en maakte ik een bespreking van een boek met de titel *Beste vriendinnen*. Ik had nooit een boek met die titel gelezen. Ik wist niet eens of het bestond. Als mevrouw Watson ernaar vroeg, zou ik zeggen dat ik het van de bibliotheek had geleend.
Ik had al eerder boeken verzonnen. Het was leuker om verzonnen boeken te bespreken dan echte. Ik heb ooit een keer over een boek geschreven met als titel *101 chocoladerepen*. Ik beschreef zoveel repen als ik kon, allemaal verzonnen. Koekie hielp me toen mijn inspiratie opraakte. Zijn chocoladerepen waren gigantisch groot en ze hadden verbazingwekkende vullingen. Ik herinner me zijn chocolade truffels met worst-en-puree-smaak. En zijn nieuwe eieren-met-spek-reep. Maar nu was Koekie mijn Grootste Vijand.

Beste vriendinnen

Dit is het beste boek ter wereld vanwege het onderwerp, d.w.z. beste vriendinnen. De meisjes in het boek zijn al heel hun leven lang vriendinnen. Tot ze door hun onnadenkende, egoïstische families van elkaar gescheiden worden. Ze gaan honderden kilometers van elkaar wonen. Dat is HARTVER-SCHEUREND, dat verzeker ik je. Maar de reden waarom dit het beste boek ter wereld is, is dat het goed afloopt. Het meisje komt uit het verre Schotland terug naar huis omdat haar familie het daar haat. Ze verhuizen weer naar hun oude huis en de twee meisjes zijn weer beste vriendinnen.

Ik klemde mijn boekbespreking tegen mijn borst, deed mijn ogen dicht en wenste dat mijn verhaal ook goed zou aflopen.
Ik hoorde Dolle Hond de trap op stommelen. Jasper stak zijn hoofd om de deur.
'Hoe is het met de Scherpschutterbraakster?' vroeg hij.
'Hou je mond.'
'Nee, jij moet leren je mond dicht te houden. Ik was die arme sukkel die tegenover je zat. Over smerig gesproken! En die *stank*! Ik moest al mijn kleren uittrekken en douchen, terwijl ik *vanochtend* al had gedoucht.'
Vampier Jacula doet alsof water heilig is en alsof hij van een paar druppels zal verschrompelen. Hij heeft het lef om over de geur van mijn braaksel te jammeren, terwijl het niet altijd een goed idee is om naast mijn broer Jasper te staan als de wind jouw kant op waait.
'Ach, ga toch weg,' mompelde ik, terwijl ik mijn hoofd begroef in de kussens.

'Em? Het *spijt* me.' Jasper ging op het voeteneinde van mijn bed zitten en greep me bij mijn enkel. 'Hé, wil je Alice nog een keer bellen met mijn mobieltje?'
'Ik weet haar nieuwe nummer niet. Ik moet wachten tot ze mij belt. Maar haar moeder zal haar niet laten bellen. Ze haat me, dat weet je. Ze wil dat Alice me helemaal vergeet. En misschien *doet* ze dat wel,' jammerde ik en ik begon opnieuw te huilen.
Jasper liep snel mijn kamer uit. Hij is altijd van streek als mensen huilen. Misschien teveel water voor hem?
Hij zei het waarschijnlijk tegen mama, want die kwam vanuit de keuken naar boven.
'Ik heb de wasmachine twee keer volgestopt en het tafelkleed moest ik met de hand doen. Een hele klus, dat kan ik je wel vertellen,' zei mama en ze veegde haar natte handen aan haar broek af. 'Je bent me er toch eentje, Emma. Waarom kun je niet keurig op het toilet ziek zijn, zoals iedereen?'
Ik hield mijn hoofd nog steeds in het kussen.
'Huil je? Jasper zei dat je erg van streek leek. Je voelt je toch niet meer ziek, hè? Als je weer misselijk wordt, kun je maar beter zo snel mogelijk naar de badkamer gaan.'
'Ik voel me niet ziek. Ik ben verdrietig,' snikte ik.
Mama zuchtte. Ze kwam naast me op het bed zitten. 'Emmie, Emmie,' zei ze zachtjes.
Vroeger noemde ze me Emmie. Lang geleden, toen ik klein was en er een stuk leuker uitzag. En toen zij nog hoopte dat ik een meisje met krullen zou worden, zoals Alice.
'Ik mis haar zo vreselijk, mam!'
'O, kom op, Em. Je gedraagt je een beetje als een dramakoningin. Ze is nog maar vijf minuten weg. Je hebt nog geen tijd

gehad om haar te missen.'
'Maar ik mis haar! Ik heb Alice bijna iedere dag gezien sinds onze geboorte.'
'Dat zal inderdaad wel ongeveer zo zijn, ja. Maar nu moet je gewoon een nieuwe vriendin zoeken. Toch?'
'Ik *wil* geen nieuwe vriendin! Hoe vaak moet ik het nog zeggen?'
'Zeg! Praat niet op die toon tegen me,' zei mama en ze schudde me even door elkaar.
'Je begrijpt het niet, mam. Wat als papa in Schotland zou gaan wonen? Dan zou je toch ook boos worden als iemand tegen je zei dat je maar een nieuwe man moest zoeken zodra hij weg was!'
'Hmm,' zei mama. Ze trok haar wenkbrauwen op. 'Misschien zou ik wel in de verleiding komen! Je vader verslijt een beetje.' Ze schudde haar hoofd toen ze mijn gezicht zag. 'Ik maak een grapje, pop. Natuurlijk zou ik je vader voor niets ter wereld ruilen. Maar een vriendin verliezen is wat anders. Karen is mijn vriendin, maar ik maak er niet zo'n drukte over dat ze weg is. En toch zal ik haar missen.'
Mama zou haar niet missen zoals ik Alice miste. Mama en tante Karen waren nooit echt hartsvriendinnen geweest. Ze gingen samen sporten en volksdansen. En soms gingen ze naar Londen om te winkelen. Maar dat was het dan. Soms zagen ze elkaar *wekenlang* niet. Mama had de laatste tijd meer afstand genomen van tante Karen omdat ze een beetje snobistisch en verwaand was geworden. Tante Karen schepte voortdurend op over haar nieuwe geblondeerde haar en haar hippe sportkleren en haar gloednieuwe mobieltje met de allernieuwste snufjes.

'Mam! Het mobieltje van tante Karen!'
'Wat is daarmee?'
'We hebben haar nummer! O, alsjeblieft. Laten we haar bellen.'
'Word wakker, Emma. Ze laat je niet met Alice praten. Ze zegt dat je een slechte invloed op haar hebt. Dat is ook zo, lieve help.'
'Kun je haar niet smeken, mam? Twee minuten maar? Ik moet weten hoe het met Alice gaat. Ik bedoel: als *ik* al moet huilen, hoe zal zij er dan aan toe zijn?'
'Spuitende fonteinen,' antwoordde mama. 'Goed. We zullen het proberen. Als je belooft lief te zijn en ophoudt met dat gedoe.'
'Afgesproken!' zei ik terwijl ik overeind sprong.
'Rustig maar! Je bent net ziek geweest, weet je nog? Ik in ieder geval wel! En wind je niet zo op, want ik denk niet dat je veel kans maakt.'
We liepen naar beneden, naar de telefoon in de hal. Mama draaide het nummer. Ze wachtte. Ze haalde diep adem.
'Hallo Karen.' Ze gebruikte haar *Kan ik u helpen, mevrouw*-winkelstem om te laten zien dat zij ook chic kon doen. 'Ja, met Liz. En, hoe was je reis? Hoe waren de verhuizers? Wordt het echt het huis van je dromen?'
Ik wist dat mama alleen maar aardig probeerde te doen om tante Karen mild te stemmen, maar die vragen waren dodelijk. Tien minuten lang dreunde de stem van tante Karen in mama's oren. Mama mompelde een tijdje beleefd en begon toen onrustig te worden. Niemand kan tante Karen tegenhouden als ze op dreef is. Mama fronste haar wenkbrauwen. Ze hield de telefoon op een armlengte van zich af. Woorden als *koele ber-*

ging en *aangrenzende badkamers* en *powerdouche* zoemden als bijen door de kamer. Mama trok gekke gezichten naar de telefoon en zonder geluid te maken deed ze *kwek kwek kwek*. Ik stikte van het lachen en moest mijn hand over mijn mond houden. Mama schudde haar hoofd, maar ze grijnsde ook.
'Het klinkt allemaal fantastisch, Karen, echt,' zei mama. 'En Alice heeft zoveel geluk. Stel je voor, een eigen badkamer! Hoe *is* het met Alice? Emma is heel verdrietig. Ze mist haar vreselijk. Luister, ik weet dat Emma zich slecht heeft gedragen – hoewel, ik denk eigenlijk dat dat idee om weg te lopen niet *helemaal* van haar kwam. Maar goed, zou ze misschien even met Alice mogen praten?'
'Ze heeft gisteren ook al gebeld? En *wie* beweerde ze te zijn?' vroeg mama die me aanstaarde. 'O, mijn god, wat moet ik met dat kind. Ik zal haar in ieder geval een fikse uitbrander geven. Maar als ze netjes haar excuses aanbiedt, mag ze dan twee minuten met Alice praten?'
Mama wachtte.
Ik wachtte. Ik durfde nauwelijks te ademen. Toen glimlachte mama en ze gaf me de hoorn.
'Hallo, Em!'
'O, Alice, het is zo vreselijk!' zei ik. 'Ik mis je zo erg.'
'Ik weet het, ik weet het. Ik mis jou ook, verschrikkelijk.'
'Heb je gehuild?'
'De hele tijd. Mijn ogen zijn helemaal rood. In de auto hiernaartoe huilde ik zoveel dat mama boos op me werd.'
'Mama is *heel erg* boos op mij geweest,' zei ik. Ik keek haar tersluiks, met een schuldige blik aan. 'Maar nu is ze echt lief.'
'Mijn moeder ook, geloof ik. En papa ook. Teddy is kwijtgeraakt bij de verhuizing, samen met een hele doos met mijn

spullen. Maar papa heeft een nieuwe beer voor me gekocht. Een speciale meisjesbeer met een balletjurkje aan. Ze is zo schattig, met kleine satijnen balletschoentjes aan haar poten.'
'En de pop van mijn oma?' vroeg ik bezorgd. 'Die ben je toch niet kwijt?'
'O, nee, het gaat goed met Melissa.'
'Echt?'
'Ik zweer het, Em. Mama had haar in bubbeltjesplastic gewikkeld en we hebben haar gedragen in een speciale tas met al het porselein. Mama zei dat ik haar niet had mogen houden. Wil je haar terug, Emma?'
Ik wilde haar dolgraag terug, zeker nu opa me meer over mijn oma had verteld, maar ik durfde het niet te vragen.
'Nee, ik wil dat je haar houdt, Alice,' antwoordde ik. 'Als je je supereenzaam voelt, kun je haar knuffelen en doen alsof ik het ben.'
'Ik kan haar niet *knuffelen*, dan gaat ze stuk,' antwoordde Alice. Maar toen voegde ze er fluisterend aan toe: 'Weet je wat ik bijna de hele weg in de auto heb gedaan? Ik pakte mijn eigen duim vast en deed alsof jij het was die mijn hand vasthield.'
'O, Alice,' zei ik en ik begon opnieuw te huilen.
'O, Em,' zei Alice.
Ik hoorde tante Karen op de achtergrond praten en ze klonk geïrriteerd.
'Ik moet gaan, Emma,' zei Alice.
'Wacht! Wat is je vaste nummer?'
'Dat hebben we nog niet.'
'Wat is je adres?'
'Greystanes, Rothaven, Angus. De postcode weet ik nog niet. Ik zal je schrijven, Emma. Beloofd. Daag.'

'We zijn toch nog steeds beste vriendinnen?'
'Dat weet je. Voor altijd.'
Ze verbrak de verbinding. Ik voelde me alsof ik ook verbroken werd. Ik plofte neer op de trap en wiegde de hoorn heen en weer alsof Alice erin gevangen zat.
'Kijk nu toch eens!' zei mama hoofdschuddend. 'Dat telefoontje was bedoeld om je op te vrolijken. Lieve hemel, doe niet zo dramatisch. Jullie tweeën gedragen je als Romeo en Julia.'
Ik had de film gezien met Max en ik vond hem echt *cool,* hoewel ik de tekst niet helemaal begreep.
'Ik *voel* me als Romeo en Julia. En kijk eens wat er met hen is gebeurd. Ze zijn *dood.*'
'Ja, maar jij moet verder met je leven, schat. Je hebt de kans gemist om de pop van je oma terug te krijgen, rare meid. Karen had Alice die pop nooit mogen laten houden. En wat is dat allemaal? Je belde haar op en beweerde iemand anders te zijn?'
'Ik zei dat ik Francesca Gilmore-Brown was. Dat vreselijke stijve verwaande wicht uit de balletklas van Alice. Ik zei gewoon: "O, het spijt me zo *vreselijk* dat ik u stoor, maar zou ik *misschien* heel eventjes met Alice kunnen praten?" En tante Karen deed al helemaal vreselijk terug, zo van: "O, Francesca, schattie, wat *enig* om je te spreken. Ik zal eens tegen je slijmen omdat je zo rijk bent en zo mooi en nog chiquer dan wij – zoooooveel geschikter dan die vieze kleine Emma, die zo'n slechte invloed heeft gehad op mijn kleine engel Alice."'
'Je bent *inderdaad* slecht,' zei mama, maar ze proestte het uit. 'Je hebt precies haar stem, Emma. Je zou op toneel moeten.'
Ik kon *mezelf* niet opvrolijken, maar ik had mama tenminste aan het lachen gemaakt. Ik viel haar om de hals. 'Dank je voor

dat telefoontje, mama.'
'Dat is goed. Maar ik kan Karen niet blijven lastig vallen. Ze wil niet dat jij en Alice vriendinnen blijven. Dat weet je net zo goed als ik.'
'Vette pech voor haar. We *zijn* vriendinnen, voor eeuwig en altijd.'
'Ja, maar vergeet niet dat Alice naar een nieuwe school gaat en nieuwe vriendinnen zal maken.'
'Nee, dat gebeurt niet!'
'Je wilt toch niet dat ze zich alleen voelt?'
'Nee. Goed, misschien kan ze een paar vrienden-voor-op-school nemen. Maar ik blijf haar echte beste vriendin.'
'O, Emma. Ik wil gewoon niet dat je gekwetst wordt, liefje.'

Maar misschien zou Alice me niet vergeten. Ze schreef me meteen en zette haar volledige adres op de achterkant van de envelop.

Liefste Em,
Ik mis je zo erg. Het was geweldig om je te spreken aan de telefoon. Ik zou er alles voor geven om je hier bij me te hebben. Ik moest vandaag naar mijn nieuwe school en het was zo eng. Het is een oud gebouw, net een gevangenis, en we hebben een oude juf. Ze heet mevrouw Mackay en ze is zo streng dat Meneer Beaton wel een knuffelbeer lijkt.
O ja, heb ik je verteld over Bella, mijn ballerinabeer? Ze is zooo schattig. Er zit een meisje in mijn klas die ballet doet en die zegt dat ik ook naar haar lessen kan gaan. Zij is oké, en een van de jongens zei dat een andere jongen, Jamie, mij mooi (!!!) vond. Alle anderen zijn vreselijk en ze lachen om

me omdat ik anders praat. Maar we mogen helemaal niet praten in de klas, want dan wordt mevrouw Mackay onmiddellijk *boos. Jij zou ontzettend veel problemen krijgen op mijn nieuwe school, Em.*
Ik heb je nog niets verteld over ons nieuwe huis en mijn nieuwe slaapkamer (hij is roze en ik wou dat je hem kon zien), maar mijn hand doet echt pijn van al dat schrijven. Ik wou dat ik een computer had.
Ik mis je.
Heel veel liefs van je allerbeste vriendin,
Alice xx

Lieve Alice,
Heeeeeeeeeeeeeel erg bedankt voor je brief, maar kun je de volgende keer een langere brief schrijven, alsjeblieft, alsjeblieft, alsjeblieft? Als je rechterhand moe wordt, probeer dan je linkerhand. Ik vind het helemaal niet erg als scheef schrijft. Of je kunt je pen tussen je tanden houden of je schoenen en sokken uittrekken en met je tenen schrijven. Maar je moet me vertellen hoe het met je gaat en of je hebt gehuild en of je nachtmerries hebt. En ik wil precies weten hoeveel je me mist. Goed, hier is een korte vragenlijst voor je.
Mis je Emma:
a) Helemaal niet. Eigenlijk weet je zelfs niet zeker wie Emma is. Haar naam klinkt vaag vertrouwd.
b) Af en toe, als je naar Melissa kijkt.
c) Erg. Soms zucht je verdrietig en fluister je: 'O, Em, ik wou dat je hier was.'
d) Wanhopig – je denkt de hele tijd aan haar en wenste wens-

te wenste dat je weer was waar je thuishoort en weer haar beste vriendin was.
Ik mis je niet a) of b) of c) of zelfs niet d). Ik ga helemaal naar het einde van het alfabet, naar de z). Ik heb gehuild en gehuild en gehuild. Mijn ogen zijn zo bloedrood en mama moet de hele tijd een emmer en dweil pakken om mijn plas tranen op te vegen. O ja, een paar dagen geleden moest ze al haar schoonmaakspullen uit de kast halen omdat ik overal had overgegeven. Zo erg was ik eraan toe. Ik had ook nogal veel taart en chocola en ijs gegeten. Verdriet laat mijn honger niet verdwijnen. Het maakt me alleen maar hongeriger. Pas maar op, als we elkaar eindelijk (wanneer??? hoe???) weer zien, zul je me niet herkennen. Ik zal net zo dik zijn als die vreselijke gehate stomme Koekie. Nog dikker!
Stel je voor. We kunnen niet samen in bed kruipen als je blijft

slapen, want ik zou je verpletteren. Maar als ik zo groot en dik word als een huis, kunnen mama en papa me niet meer vertellen wat ik moet doen. Ik vertel hen dan wat zij moeten doen! Dan zeg ik: 'Vooruit, geef me een berg geld.' En dan huur ik een reusachtige helikopter en hijs ik mezelf er op een of andere manier in. In een paar minuten flits ik naar Schotland en ruk ik je daar weg en dan gaan we samen op avontuur. En als je ouders ons proberen tegen te houden, trap ik hen weg. Oké?
Heel en heel en heel en heel veel liefs van je beste vriendin voor altijd,
Emma xx

Lieve Em,
Ik schrijf dit op school, omdat mijn moeder zegt dat ze niet meer wil dat ik je schrijf. Je raadt nooit wat ze heeft gedaan. Ze heeft je brief opengemaakt en ze vond hem helemaal niet leuk. Vooral het stuk waarin je zegt dat je haar zou wegtrappen. En ze deed ook moeilijk over het helikoptergedoe. Alsof je echt een helikopter zou kunnen huren! Maar goed. Ze zegt dat ik je niet meer mag schrijven en dat we moeten ophouden beste vriendinnen te zijn. Maar maak je geen zorgen, natuurlijk zullen we vriendinnen blijven – en luister, Em, ik heb een briljant plan om elkaar te schrijven. Er zit een meisje in mijn klas, Flora – je weet wel, ze doet ook ballet. Ze zag dat ik had gehuild en ze vroeg me waarom en dus vertelde ik haar dat ik je miste en dat ik van mijn moeder niet mocht schrijven enz. enz. enz. en ze vroeg waarom ik geen e-mail stuurde en ik zei dat ik geen eigen computer heb en ik mag

de computer van mijn vader alleen gebruiken als hij erbij is. En ze zei dat zij wel een computer had en ik kan altijd naar haar huis gaan en je een e-mail sturen, wanneer ik maar wil. Ik weet dat je nog geen eigen computer hebt, maar hoe zit het met je broer Jasper??? Het e-mailadres van Flora is floraweegirl@hotmail.com. Ik hoop echt echt echt dat we elkaar kunnen e-mailen, Em!
Heb ik je al verteld over mijn nieuwe kamer? Hij is super. Flora zegt dat het de mooiste kamer is die ze ooit heeft gezien.
Je beste vriendin voor altijd,
Alice
xxx

Tien

'Help me even met de afwas, Emma,' zei mama terwijl ze de borden opstapelde in de gootsteen.
'O, mam! Dat is niet eerlijk. De jongens helpen nooit,' antwoordde ik.
Max en Jasper glipten handig naar boven.
'Jasper, wacht op me!' riep ik.
'Waarom hang je tegenwoordig altijd bij Jasper rond?' vroeg mama achterdochtig. 'Je verdwijnt voortdurend in zijn kamer.'
'Hij laat me gewoon zijn computer gebruiken,' antwoordde ik. 'Hij laat me zien hoe ik dingen kan opzoeken op het internet.'
'Hmm,' zei mama. Ze keek nog steeds achterdochtig. 'Wat voor dingen? Niks verkeerds, hoop ik?'
'Mama! Nee! Het is voor dat project...'
'Welk project? Huiswerk?'
'Precies. Huiswerk,' zei ik snel.
'Je hebt nooit eerder moeite gedaan voor je huiswerk,' zei mama.
'Ga je dat kind nu de les lezen omdat ze haar best doet met huiswerk?' riep papa vanaf de bank in de huiskamer. 'Laat haar toch met rust, Liz.'
'Ja, mam, laat me even met rust,' zei ik en ik sprong opzij toen ze met de theedoek naar me sloeg.
Ik was vastbesloten me niet meer te laten opzadelen met nog

meer karweitjes zoals die vervelende afwas. Ik werkte me nu al te pletter om Jasper zoet te houden. Hij liet me zijn computer gebruiken om Alice te e-mailen via dat meisje Flora. En hij bewaarde de e-mails die ze me terugstuurde. Maar dat had een prijs. Hij vroeg geen *geld*, want hij wist dat ik dat niet *had*. Nee, ik moest zijn dienstmeid spelen. Ik moest al zijn vieze oude sokken onder zijn bed vandaan halen en ze in de wasmand stoppen. Zijn verwelkte verzameling papieren vliegers aan het plafond afstoffen. Zelfs de badkamer schoonmaken nadat hij hem had gebruikt.

'Zou je willen dat ik het verdomde toilet voor je doorspoel nu ik toch bezig ben?' merkte ik sarcastisch op.

Dat was een grote vergissing.

Ik moest ook zijn vreselijke dinosaurusdekbed verschonen – een karwei dat ik haat haat haat. Daarna was ik veel te uitgeput om mijn eigen dekbed nog af te halen en mama las me urenlang de les.

'Ik was gewoon te moe om het te verschonen, mama,' zei ik. En dat was de waarheid.

Maar mama bleef zeuren: over hoe moe zij wel niet was omdat ze het huishouden moest doen voor een vijfkoppig gezin. Het minste wat een dochter kon doen was toch een handje helpen? Zelfs Jasper gedroeg zich tegenwoordig verantwoordelijk. Hij zorgde voor zijn was en hij hield zijn kamer piekfijn in orde, ook al had hij het zo druk met zijn studie. *Bovendien* was hij de nummer één hondenuitlater van de familie.

Ik zou het niet erg gevonden hebben om met Dolle Hond te gaan wandelen (als een van mijn karweitjes), maar dat liet Jasper niet toe. En als hij Dolle Hond losliet op het pleintje rolde hij meteen in de meest stinkende drek die er te vinden was.

Dolle Hond bedoel ik, niet mijn broer. En raad eens wie dan moest proberen die hond een bad te geven. Ik!
Maar al die extra karweitjes waren de moeite waard, omdat ik echt met Alice kon communiceren. Ik vond het niet leuk om eerst een bericht naar Flora te typen. Ik vond haar niet leuk klinken. Maar toch probeerde ik superbeleefd te zijn omdat ze Alice haar computer liet gebruiken.

Hallo Flora, ik ben het, Emma, de beste vriendin van Alice. Heel erg bedankt dat je ons naar elkaar laat schrijven. Hier komt mijn privébericht voor Alice. Niet lezen, oké?

Lieve Alice, hoe gaat het met je? Mis je me nog steeds HEEL HEEL HEEL erg? Ik mis je nog MEER, als dat kan! Ik voel me zo alleen en niemand begrijpt het en iedereen doet gemeen tegen me.
O! Jasper keek net op het scherm en hij zegt dat hij uitzonderlijk lief voor me is, want hij laat me zijn computer gebruiken. Dat zal wel, maar ik BETAAL er zwaar voor!
Max is eigenlijk ook oké. Hij nam me gisteravond mee naar McDonalds en hij kocht een Happy Meal voor me. En toen de speciale Blauwe Kung Fu Vechter (die ik zo graag wilde) er niet in zat, kocht hij nog een Happy Meal voor me. Daar zat het kleine blauwe mannetje in, dus nu kan die met Red Zed vechten. Jee! Ik denk dat Max me alleen maar mee uit vroeg omdat Ayesha naar haar vriendinnen ging. Maar het was toch lief van hem.

Opa is ook heel lief, maar hij wil geen roomgebakjes meer voor me kopen. Papa kietelt me de hele tijd. Hij probeert me te laten glimlachen. Mama was een tijdje oké, maar nu zeurt ze weer zoals altijd.
Maar goed, thuis zijn ze meestal oké. Op school is het VRESELIJK. Mevrouw Watson was de eerste tijd wel lief, maar nu... Je raadt nooit nooit nooit wat ze heeft gedaan! We moeten samen met een partner zo'n stom project maken over een beroemd persoon. En ze zegt dat Koekie mijn partner moet zijn! Ik ga niet met hem samenwerken, niet niet niet. Moet jij met iemand samenwerken op je nieuwe school? Of mag je in je eentje werken als je dat wilt?
Heel heel veel liefs
van je beste vriendin,
Emma

Hallo Em! Dank je voor je echt echt echt lange bericht. Ik kan niet zo vaak terugschrijven, want dat zou niet erg beleefd zijn tegenover Flora. Het is haar computer. Ik moet trouwens snel zijn, want om vijf uur hebben we balletles. Flora's moeder brengt ons. Ik hoop dat ik het goed zal doen. Flora is SUPER in ballet, veeeel beter dan ik. Ik hoop dat ik niet de slechtste van de klas ben.
Wat is dat voor een project? Arme jij, dat je met Koekie zit opgescheept. In mijn nieuwe klas zitten ze middenin een Egyptisch project en ik maakte me zorgen omdat ik er niets van wist. Maar Flora heeft me haar aantekeningen geleend, dus ze is

zo'n beetje mijn partner, denk ik. Het is heel lief van haar om me te helpen.
Dit is niet zomaar een leuke tekening. Het zijn Egyptische hiërogliefen.
Heel veel liefs
Van je beste vriendin
Alice

Hallo Flora. Dit is een SUPER-privébericht voor Alice. Stop hier met lezen.

Lieve Alice,
Je weet een HELEBOEL over de Egyptenaren. Herinner je je nog dat Max ons meenam naar Londen? We zagen de mummies in het museum en het was zo cool. Alleen vond je het een beetje eng, zelfs de kattenmummies. Maar ik wed dat het computermeisje Flora nog nooit echte mummies heeft gezien. Vertel haar er maar over. En ik zal een verhaal verzinnen - ik begin er meteen aan - over een Vreselijke Vloek en een mummie die weer tot leven komt. Zijn zwachtels vallen af en ook kleine stukjes zwart vlees. Dodelijk eng. En al je

nieuwe klasgenoten zullen onder de indruk zijn. Maar word niet bevriend met iemand in het bijzonder, alsjeblieft.
Heel en heel en heel veel liefs.
Van je beste vriendin die nooit de vriendschap zal verbreken,
Emma

Ik was op school niet met iemand in het bijzonder *bevriend*. Zeker niet met Koekie. Ik sprak niet tegen hem en dat stomme project vormde dus een probleem. Maar ik had een oplossing bedacht. Ik richtte me niet tot Koekie. Ik richtte me tot de ruimte voor hem. En zo maakte ik mijn plan bekend.
'Ik doe mijn Beroemde-Mensen-Project over Michael Owen. Hij is de beste voetballer ooit. Beroemder dan hij kun je niet worden. Ik heb alle informatie over hem. Die kan ik gewoon kopiëren – makkie. En ik knip een paar foto's uit de kranten. Ik *zou* zelfs een van mijn posters kunnen gebruiken voor de projectvoorstelling.'
Ik dacht dat ik supervriendelijk en vrijgevig was en Koekie een gigantische hoeveelheid werk bespaarde. Was hij dankbaar voor mijn suggestie? Absoluut *niet*!
'Ik denk dat er wat mis is met je ogen, Emma. Je praat tegen me, maar je staart in de ruimte. Griezelig.'
'Ik praat niet tegen jou, Koekie. Ik heb het je al gezegd, ik kan je niet uitstaan. Als je niet zo'n slappe lafaard was, zou ik met je vechten. Ik praat gewoon hardop over dat project. Tegen mezelf.'
'Tegen jezelf praten is het eerste teken van gekte,' antwoordde Koekie. 'Het verbaast me niks. Ik denk dat je volkomen ge-

schift bent, Emma Jackson. Gekken moet je ontzien. Dus dat zal ik doen. Maar ik doe *geen* project over Michael Owen. Voetbal interesseert me niet. Ik weet niets over hem.'
'Je *hoeft* niets over hem te weten. Ik zei het al, ik heb alles.'
'Maar ik wil wat anders. Er zijn allemaal kinderen die het over voetballers hebben: jouw Michael Owen of David Beckham. Ik wil een originele keuze.'
'O, ja. Wie dan?'
'Dikke Larry.'
'Wie?'
'Heb je nooit gehoord van Dikke Larry?'
'Is dat een popgroep of zoiets?'
'Het is een man. Hij heet Larry. En hij is dik. Een briljante televisiekok – je *moet* hem gezien hebben. Hij heeft van die

enorm spectaculaire glitterpakken aan en hij draagt een grote diamanten oorbel.'
'O, erg smaakvol – *nee*.'
'Iedere uitzending kookt hij voor een andere groep mensen. Kinderen in het ziekenhuis bijvoorbeeld, of oude dames in een bejaardenhuis of een groep moeders uit een of andere wijk. In het begin zien ze er altijd verdrietig uit of wat eigenaardig of verveeld. In ieder geval niet geïnteresseerd in eten. Maar Dikke Larry vrolijkt ze op. Hij kookt iets lekkers voor ze en op het einde van het programma lachen ze en eten ze en hebben ze het reusachtig gezellig. Na de aftiteling is er een strip van Dikke Larry als reus.'
'Ben jij een soort publiciteitsagent voor die Dikke Larry?'
'Ik vind hem gewoon geweldig, dat is alles. Hij is beroemd. Ik wil een project over hem doen. Ik weet zeker dat niemand anders dat doet.'
'Ja, omdat niemand wat om Dikke Larry geeft. Luister, we doen een project over Michael Owen. Ik zei al dat ik alle informatie heb...'
'Ik ook. Ik heb de drie kookboeken van Dikke Larry.'
'O, dát is nogal wat.'
'Met recepten. We zouden iets kunnen koken voor de projectvoorstelling.'
Ik keek hem aandachtig aan.'Wat voor iets?'
'Alles kan! We kunnen schalen laten rondgaan met toastjes, of met kleine gebakjes, of minipizza's. Wat dan ook. Ik kan een kookdemonstratie geven in de stijl van Dikke Larry. Ik ken een hoop van zijn grappen. En ik zie er een beetje uit als een kleine Dikke Larry.
Hé, misschien kan mijn moeder op de markt goedkope glitter-

stof kopen en een mini-Dikke-Larry-pak voor me maken!'
'*Ik* zou voetbaldemonstraties kunnen geven. Ik heb de hele uitrusting van Liverpool, dus ik kan Michael Owen zijn,' zei ik, maar mijn stem miste overtuiging. Ik kibbelde om te kibbelen. Ik zag wel in dat het project van Koekie een briljant idee was. Voor *hem*.
'Stel dat jij Dikke Larry bent? Wat kan *ik* dan doen?'
'Je zou de recepten kunnen voorlezen,' antwoordde Koekie.
'Wat? Ik jouw hulpje? Geen sprake van. *Ik* ben Dikke Larry en jij kunt de recepten lezen.'
'Nu doe je gewoon dom. Je lijkt helemaal niet op hem.'
'Ik zou hem na kunnen doen – een makkie.'
'Maar je hebt hem nog nooit op tv gezien! Je doet echt vervelend, Em. Maar goed, ik zal wat toegeven omdat je het moeilijk hebt en Alice mist.'
'Allemaal *jouw* schuld.'
'Dat is niet waar. En dat weet je.'
Ik denk dat ik diep diep diep vanbinnen wel wist dat het niet echt de schuld van Koekie was. Ze zouden Alice en mij toch opgepakt hebben, of hij ons nu verraden had of niet. Of we hadden de trein terug naar huis moeten nemen. Ik wist dat we niet *echt* alleen in Londen konden leven. Maar ik was er nog niet klaar voor om dat toe te geven. Zeker niet tegenover Koekie.
'Het was jouw schuld, dikkie.'
'Dikkie Larry! *Ik* ben hem, hoor je me?'
'Nee, *ik* ben hem en ik zal mijn moeder vragen om voor *mij* een glitterpak te maken. En maak nu dat je wegkomt. Ik praat niet tegen je, weet je wel?'
'Voor een meisje dat niet praat, kwebbel je heel wat bij elkaar,'

zei Koekie vrolijk. Hij haalde een groot pak zilverfolie uit zijn schooltas en maakte het voorzichtig open. Er zaten twee fantastische stukken chocoladetaart in. Je kreeg er het water van in de mond. De taart was versierd met felrode kersen en witte slagroom.

Koekie nam een heel grote hap. Room en chocola dropen van zijn dikke vingers. Hij likte ze tevreden een voor een af.

'Jammie,' zei hij. 'Een speciaal Dikke Larry-recept. Heerlijk! Maar dat zou ik niet mogen zeggen, want ik heb het zelf gemaakt.'

'Jij kunt niet zo'n taart bakken, Koekie!'

'Jawel. Nou ja, mijn moeder heeft een beetje geholpen.'

'Je bedoelt dat *jij haar* hebt geholpen.'

'Lach me maar uit, Emma. Als ik ons Dikke Larry-project presenteer, zul je *zien* dat ik kan koken.'

'Als *ik* Dikke Larry ben, zul je zien dat *ik* kan koken,' antwoordde ik. Maar mijn hart begon sneller te slaan.

Ik was er zeker van dat ik Dikke Larry makkelijk na kon doen, zodra ik had uitgevist hoe hij eruitzag. Maar ik wist niet zeker of ik mama kon overtuigen om een pak voor me te maken, glimmend of niet. En echt koken was al helemaal iets anders.

Op een keer, toen mama laat moest werken en papa sliep, had ik geprobeerd voor Alice en mezelf pannenkoeken te bakken. Ik had mama een keer goed gadegeslagen en het zag er supermakkelijk uit. Alice was daar niet zo zeker van. En ze kreeg gelijk.

Ik klopte eieren en melk en kieperde daar de bloem bij, maar het werd een klonterige brij. Ik hoopte dat die zou samensmelten in de pan, maar dat gebeurde niet. Daarom draaide ik het vuur wat hoger. Ik kletste met Alice, at een paar rozijnen

en ik stak mijn vingers in de boter en deed er een laagje suiker op – want intussen had ik een geweldige honger gekregen. Opeens rook ik een vreemde geur. En toen ik die onderzocht, ontdekte ik dat de klonterige pannenkoek heel snel zwart blakerde. Ik dacht dat het zou helpen om de pannenkoek op te gooien. *Grote* vergissing. De knisperende vonken vlogen alle richtingen uit en er spatte vet over het hele vuur.
We probeerde alles schoon te maken, maar daar slaagden we niet echt in. De koekenpan was bedekt met een dikke zwarte korst en die kregen we niet meer los.
Ik wilde me liever niet herinneren wat er gebeurde toen mama thuiskwam. Het is te pijnlijk. Daarna heb ik nooit meer geprobeerd te koken – laten we het daar maar bij laten.
'Weet je wat? Als ik Dikke Larry mag zijn, geef ik je de helft van mijn taart,' zei Koekie. Hij hield een stuk taart pal onder mijn neus en ik rook de goddelijke geur van volle chocola.
Ik wilde heel graag een stuk.
Ik wilde niet koken. Ik wilde niet echt een glitterpak. Ik wilde zelfs niet op zoek gaan naar de televisieprogramma's van Dikke Larry. Maar ik kon het nu niet opgeven. Ik wilde niet toegeven aan Koekie.
En ik wilde geen vriendschap sluiten.
'Jakkes,' zei ik daarom. 'Ik haat chocoladetaart. En *ik* ben Dikke Larry. Zo!'

Elf

'Heb jij wel eens gehoord van Dikke Larry, opa?' vroeg ik toen we van school naar huis liepen.
'Ja, hij is een televisiekok. Beetje een grappenmaker. Ik vind zijn programma wel leuk, maar ik hou meer van Nigella.' Opa begon over Nigella te ratelen tot ik aan zijn mouw trok.
'Nee, opa. Ik moet iets te weten komen over Dikke Larry. Wanneer is hij op tv? Ik wil graag kijken. Waarom heb ik hem nog nooit gezien?'
'Hij komt op de televisie om halfacht. Dan kijkt je moeder zeker naar *Corrie*? Als je wilt, neem ik Dikke Larry voor je op, pop.'
'Kun jij Dikke Larry-gerechten klaarmaken, opa?'
'Je maakt een grapje, hè? Ik ben niet zo'n *moderne* man. Ik ben een oude man en ik kan verdikkeme hooguit een ei bakken. Dat weet je.' Opa zuchtte. 'Ik zou alles geven voor een rosbiefmaaltijd van je oma, met heerlijke gouden Yorkshirepudding! En ze maakte verrukkelijke truffels – en appeltaart – en vruchtencake...'
'Misschien ga ik wel op haar lijken. Ik zal heerlijke hapjes voor je maken, opa.'
'Je hebt veel talenten, Em, maar ik denk niet dat je een geboren kok bent. Je moeder heeft me alles verteld over de ramp met de pannenkoeken.'
'Ze hield *wekenlang* mijn zakgeld in om een nieuwe pan te kopen. En nu gebruikt ze die bijna nooit, want ze zegt dat ge-

bakken eten slecht voor je is. Opa, mama maakt geen Yorkshirepudding, maar soms maakt ze op zondag gebraden kip. Waarom kom je dan niet lunchen?'
'Dat is lief van je, Emma. Maar ik vind het meestal wel prettig om naar het café te wandelen voor een lunch, hoor. En soms werk ik tijdens het weekend, als ze te weinig chauffeurs hebben. Misschien kan ik je nog eens een ritje in de witte Rolls Royce aanbieden, als ik voor een huwelijk moet rijden. Wat doe je zaterdag, liefje?'
'Niets,' zei ik met een zucht.

Ik wist niet wat ik met mezelf aan moest. Ik viel Jasper lastig tot hij me een lange e-mail naar Alice liet sturen. Ik had me afgevraagd of ze misschien bij Flora thuis speelde, zodat ik meteen antwoord kon krijgen. Maar nee. Geen geluk. Ik wilde dolgraag iets van haar horen, maar ik was ook opgelucht dat ze geen weekendvriendinnen waren. Ik vond die Flora helemaal niet leuk klinken. Het leek wel of ze probeerde van Alice *haar* beste vriendin te maken. Maar dat zou niet lukken. Dat wist ik.
Max vroeg of ik zin had om in het park te gaan wandelen. Hij nam zijn fiets mee en ik mocht er wat mee experimenteren en allerlei rare stunts proberen.
Dat ging niet de hele tijd goed. De derde keer viel ik en schraapte een ietsiepietsie van de lak. Ik hield mijn adem in. Max doet superpietepeuterig over zijn fiets. Hij wil die graag gloednieuw houden. Maar nu keek hij er nauwelijks naar. In de plaats daarvan maakte hij zich druk over mijn knieën. Hij spuugde op een miezerig stukje papier en probeerde ze schoon te vegen.

'Ai!' zei ik. 'Sorry van die kras op je fiets, Max.'
'Dat is niet erg.'
'Ik ben hopeloos slecht in fietsen.'
'Niet waar. Je bent geweldig. Je benen zijn gewoon nog te klein en mijn fiets is veel te groot. We zullen een eigen fiets voor je moeten regelen, Em.'
'O, jee,' zei ik, omdat fietsen een fortuin kosten.
'Misschien kunnen we een kleine tweedehandsfiets zoeken. Eentje die opgeknapt moet worden. Dat zou ik voor je kunnen doen! Als verjaardagscadeau.'
Ik dacht aan mijn verjaardag. Volgende maand. De eerste verjaardag zonder Alice. 'Ik denk niet dat ik iets wil doen met mijn verjaardag,' antwoordde ik.
'Dat is stom, Em. We maken er een speciale dag van. Je zult wel zien,' zei Max.
Hij deed heel erg zijn best om lief tegen me te zijn (hoewel mijn knieën ontzettend veel pijn deden) maar ik kon niet doen alsof.
'Het kan geen speciale dag zijn zonder Alice,' zei ik en ik barstte in tranen uit.
Toen ik eenmaal begonnen was, kon ik niet meer stoppen. Max had niet genoeg zakdoeken om mijn tranen af te vegen, dus zette hij me op het zadel en duwde me snel naar huis.
Mama was aan het werk, dus ze kon niet boos worden over mijn knieën.
'We kunnen je knieën het beste behoorlijk wassen en er een of ander spul op doen, zodat het niet gaat ontsteken,' zei Max.
'Waar is papa?'
Hij lag niet op de bank voor de televisie. En ook niet meer in bed. De taxi stond op de oprit geparkeerd, dus hij was ook niet aan het werk.

'Waar is hij dan?' vroeg Max zich af. Hij nam me bij de hand. 'Misschien in de tuin?'
Mama had onlangs flink tegen hem gezeurd over het gras, maar dat stond nog steeds enkelhoog en vol met felgele paardebloemen. We hoorden geen grasmaaier, maar in de verte klonk het geluid van een zaag.
'Papa?' riep Max.
Er klonk een gesmoorde kreet vanuit het oude schuurtje achter in de tuin.
'Papa, wat ben je aan het doen?' riep Max. Hij trok me mee de tuin in. 'Kijk. Emma heeft zich pijn gedaan.'
'Wat heeft ze gedaan?' schreeuwde papa terwijl hij verder zaagde.
Max deed de deur van het schuurtje open. 'Kijk eens naar haar knieën,' zei hij.
Maar papa duwde de deur onmiddellijk weer dicht.
'Papa?'
'Momentje!' riep papa.
We hoorden dat hij druk in de weer was. Toen deed hij de deur voor ons open. Er lag een oud zeildoek over zijn werkbank.
'Wat zit daaronder?' snikte ik.
'Dat gaat je niets aan!' antwoordde papa. 'O, jee. Wat zie je eruit! Wat moeten we toch met jou, Em? Je bent altijd in oorlog.'
Ik voelde me alsof ik echt in een oorlog was geweest. En ik had niet gewonnen. Ik was totaal verslagen.
Ik had nergens zin in. Het grootste deel van de tijd hing ik op papa's bank naar de televisie te kijken. Ik keek niet alleen maar naar het scherm. Ik staarde de ruimte in en zag Alice voor me. Soms zwaaide die spook-Alice naar me en vertelde

ze me hoeveel ze me miste. Soms huilde ze ook. Maar op andere momenten glimlachte ze. Niet naar mij, maar naar Flora. Dan zwaaiden ze allebei en renden samen weg, arm in arm.
Mama kwam thuis van haar werk en vond me huilend op de bank. Ze dacht dat ik huilde om mijn pijnlijke knieën en ze bleef maar zeuren: 'De laatste schrammen zijn nog maar net verdwenen, jij rare meid. Wat moet ik met je? Hoe kunnen we je ooit keurig een mooie jurk aantrekken als je altijd vol krassen en schrammen en blauwe plekken zit?' vroeg ze, terwijl ze ontsmettingsmiddel op mijn knieën deed.
'Au! Ik *wil* er niet netjes uitzien. Ik haat het om me op te tutten. En jurken haat ik nog het meest.'
'Ja, die prachtige gele jurk zal nooit meer dezelfde zijn,' zei mama hoofdschuddend. 'Je bent zo *ondeugend* geweest, Emma. Wat een geldverspilling, die jurk! Ik dacht dat je hem misschien op je verjaardagsfeest aan kon trekken...'
'Ik wil dit jaar geen verjaardagsfeest,' antwoordde ik. 'Niet zonder Alice.'
'Natuurlijk wel. Je kunt een paar andere vrienden uitnodigen,' zei mama.
'Ik heb geen andere vrienden,' antwoordde ik.
'Doe niet zo dwaas, je hebt bergen vrienden, schat. Wat dacht je van die grappige jongen met zijn gekke bijnaam. Snoepie? Chocola? Pudding?'
'Ik heb geen idee over wie je het hebt, mama,' loog ik.
'Nou ja, wie dan ook. Begin maar vast te denken over wie je wilt uitnodigen.'
'Alice,' mompelde ik met mijn kin op mijn borst.
Mama zuchtte. 'Er zitten toch wel *een paar* meisjes in je klas die je leuk vindt, Emma?

'Ze zijn wel oké, maar het zijn gewoon niet mijn *vriendinnen.*'
'Misschien is een speciaal verjaardagsfeest een uitstekende manier om vrienden te *maken*. Dus wat doe je aan? Het is duidelijk dat je niet van geel houdt. Welke kleur jurk zou je *wel* willen?'
Ik haalde mijn schouders op. Ik dacht aan het briefje dat Alice in de mouw van de vreselijke kanariegele jurk had gestopt. De tranen rolden over mijn wangen.
'Hou nu op met dat dwaze gehuil,' zei mama, maar ze ging naast me op de bank zitten en sloeg haar arm om me heen. 'Wat vind je van een blauwe jurk, Emma? Je houdt van blauw.'
Ze keek nog een keer naar mijn geschramde knieën. 'Misschien verspil ik mijn tijd aan jurken. Stel dat we een mooie broek voor je kochten, een echt goed model, met een design T-shirt. Zou je dat leuk vinden, popje?'
'Ik weet wat ik echt echt graag zou willen hebben voor het feest,' zei ik opeens. 'Ik wil graag een groot glitterpak aan.'
Mama keek me aan – en nog een keer. 'Een groot glitterpak?' vroeg ze vermoeid. 'Doe niet zo gek, Emma.'
Ik besloot om niet te erg aan te dringen. Ik zou eraan moeten werken. Trouwens, ik wist niet zeker wat voor pak ik precies wilde.

Opa had eraan gedacht om Dikke Larry op te nemen. Hij liet mij de video de week erna zien toen ik uit school kwam.
'Het is best een goed programma. Die Dikke Larry is een echte grappenmaker,' zei opa. 'Hij is in ieder geval een goede reclame voor zijn eigen lekkernijen. Zie je hoe dik hij is!'

Dikke Larry was heel heel dik. Zijn glitterpak was heel erg groot. Ik zou een kussen in mijn broek moeten stoppen om hem op te vullen. *Als* mama een broek voor me zou maken. Ze bleef maar herhalen dat haar kleine meisje in geen geval zo'n bizar pak zou dragen op haar eigen feest. Ik hoopte dat ze zou bijdraaien.
Ik bestudeerde Dikke Larry heel aandachtig. Toen het programma afgelopen was, vroeg ik aan opa of ik het nog een keer mocht bekijken.
'Nog een keer?' vroeg opa. 'Je bent een raar kind, Em. Val je misschien op die Dikke Larry? Je staarde naar hem alsof je betoverd was. Je gaat me toch niet vertellen dat je verliefd bent!' Opa bewoog zijn wenkbrauwen op en neer en maakte kusgeluidjes.
'Ik ben niet *verliefd* op Dikke Larry. Ik wil gewoon naar hem kijken,' antwoordde ik.
Opa rolde met zijn ogen. 'Je bent een rare kleine meid,' zei hij, maar hij zette de video opnieuw aan.
Ik keek naar de manier waarop Dikke Larry door de studio sprong alsof hij veren in zijn dikke suède schoenen had. Ik keek naar Dikke Larry, die met zijn armen zwaaide alsof het windmolens waren. Ik keek naar hoe hij kruiden door de gerechten schudde alsof hij muziek maakte met sambaballen. Ik keek naar Dikke Larry, die zijn chocoladetaart proefde en zijn lippen aflikte, l-a-n-g-z-a-a-m als de gelukkigste kat in een ton room.
Toen opa de kamer uitliep om een kop thee te maken, probeerde ik het even: springen, zwaaien, schudden en glimlachen als Dikke Larry. Ik voelde een rilling over mijn rug lopen en ik kreeg het ritme te pakken.

Ik liet opa beloven dat hij elke aflevering van Dikke Larry zou opnemen.
'Ik weet zeker dat je video's kunt kopen van zijn oude programma's,' zei opa. 'Als je die dikke oude kerel *echt* zo geweldig vindt, zal ik je er een paar geven voor je verjaardag. Wil je dat?'
'O, opa. Ga jij ook al zeuren over mijn verdomde verjaardag,' zei ik. 'Iedereen vraagt me voortdurend wat ik wil. Ik weet dat ze aardig proberen te doen, maar ik wil echt niets. Alleen een Dikke Larry-pak.'
'O, jee,' zei opa. 'Wat zal je moeder daarvan zeggen?'
'Ze gaat er een voor me maken,' antwoordde ik.
'O, ja?' vroeg opa.
'Nou ja, misschien. Opa, jij kunt toch naaien?'
'Ik kan knopen aannaaien, schat. Daar ben ik heel handig in. Maar ik kan net zo goed naar de maan vliegen als een glitterpak voor jou maken.'
'Ik wil niet naar de maan vliegen, opa. Alleen naar Schotland. Ik heb Jasper gevraagd om op het internet de prijzen van vluchten op te zoeken, maar die kosten meer dan honderd pond. Dus ik daar kan ik verdorie naar fluiten.'
'Tututut! Let op je taal! Misschien kun je een keer met vakantie naar Schotland.'
'Nee, dat lukt niet. Papa zegt dat hij alleen maar op het strand in de zon wil liggen. Schotland is te koud, vindt hij. En mama wil naar een plek waar er heel veel winkels zijn en het huis van Alice is midden op het platteland. Ze *hebben* daar geen winkels. En de zomervakantie is te *laat*. Ik moet Alice *nu* zien, op onze verjaardag.'
Ik begon te huilen. Opa trok me op zijn schoot. Ik legde mijn

hoofd tegen zijn oude trui en ademde de geur van warme wol in.

‘Waarom raak je zo overstuur van je verjaardag, schat?’ vroeg opa.

‘Ieder jaar op onze verjaardag wensen Alice en ik dat we voor eeuwig en altijd beste vriendinnen blijven. Maar deze keer zijn we niet samen. Ik ben doodsbenauwd dat Alice een nieuwe vriendin heeft. Flora. Ze schrijft voortdurend over haar in haar e-mails. Wat als Alice Flora uitnodigt op haar verjaardagsfeest? Wat als Alice en Flora de verjaardagstaart samen snijden en een beste-vriendinnen-wens doen?’

Daar liep ik al dagen over te piekeren. De woorden kronkelden als wormen door mijn hersenen. Nu ik ze hardop had gezegd, leken ze als boze bijen door de kamer te zoemen, te prikken en te steken.

Twaalf

Opa zei dat Flora het onmogelijk bij mij kon halen. Hij zei dat Alice Flora nog maar nauwelijks vijf minuten kende. En mij kende ze al haar hele leven. Hij zei dat Alice en ik elkaar beter kenden dan zussen. Zelfs als we niet samen waren, zouden we er altijd voor elkaar zijn. Voor altijd beste vriendinnen. Hij zei dat hij en oma altijd beste vrienden waren geweest. En dat was zo gebleven, zelfs toen hij een baan had in Saudi – heel ver weg – en ze maandenlang van elkaar gescheiden waren. Dat vertelde hij allemaal en ik luisterde.

Ik maakte me nog steeds zorgen.

Ik bleef me zorgen maken. Ik stuurde Alice iedere dag lange e-mails. Ik *haatte* het om dat via Flora te doen. Wat een stomme naam! In mijn hoofd begon ik haar het Margarine-Meisje te noemen. Ik had er zo genoeg van om te horen over hoe briljant ze was in dat stomme ballet, en over haar prachtige slaapkamer en haar supermooie kleren. Het klonk allemaal waardeloos: domme topjes waardoor ze een blote buik had, korte strakke rokjes en schoenen met echte hakken. Ik houd mijn buik liefst goed verborgen en ik haat strakke rokjes omdat je dan niet kunt rennen. En hakken zijn stom omdat ze achter dingen blijven haken en je gaat er helemaal van wiebelen, met je billen naar achteren.

Misschien zei ik daar iets over in een van mijn e-mails. Alices moeder zou *haar* geen korte topjes en strakke rokjes en schoe-

nen met hoge hakken laten dragen. Ze vond dat Alice nog een klein meisje was. Dus waarom moest ze zich dan kleden alsof ze naar een nachtclub ging? Alice was het altijd met me eens geweest, ze vond die kleren ook stom. Maar nu e-mailde ze terug: 'Je bent zoooooo hopeloos, Emma.' Daarna schreef ze ellenlang over Flora's nieuwe 'kattenhakken' en dat ze exact dezelfde schoenmaat hadden. Dus mocht ze die hakken lenen van Flora, want die 'is zoooooo aardig'.
Ik had Flora door. Ze was helemaal niet aardig. Ze probeerde gewoon mijn beste vriendin af te pakken. Bovendien had ik er eigenlijk geen flauw idee van wat kattenhakken waren. Het was een raar woord. Katten trippelen op zachte kussentjes. Ze *dragen* helemaal geen hakken.
Ik vroeg het aan mama en die beschreef ze in detail.
'Hoezo, Emma? Je wilt toch geen schoenen met hakken? Je bent veel te jong voor hakken, wat voor soort dan ook. Maar het zou goed voor je zijn om eens wat anders te dragen dan die vreselijke oude gympen,' zei mama enthousiast.
'*Mam*! Ik wil geen hakken.' Ik wachtte even. 'Maar ik wil *wel* een groot glitterpak.'
Mama zuchtte. 'Begin nu niet weer, Emma. Ik laat mijn dochter niet rondlopen als een travestiet!'
'Jij draagt soms toch ook broekpakken als je gaat werken, mama. Betekent dat dat jij een travestiet bent?'
'Nee, dat betekent het niet, Juffrouw Brutaal,' zei mama. Ze pakte met een zucht mijn haar beet. 'Het piekt recht omhoog. Nog erger dan anders, Emma! Wat heb je ermee gedaan?'
Ik had er met mijn handen doorheen gewoeld terwijl ik de laatste e-mail van Alice las, maar dat ging ik mama niet vertellen. Ik liet haar hardhandig mijn haar kammen tot het ging liggen.

'Kijk! Het kan er best leuk uitzien als je er gewoon een beetje aandacht aan besteedt. Het zou echt prachtig zijn als we het lieten groeien.'

'Ik bedacht net dat ik het eigenlijk korter wil, mam,' zei ik. Dikke Larry had heel kort haar. Ik wilde liefst een kortgeschoren skinhead hoofd, maar ik wist dat mama bij het idee alleen al helemaal gek zou worden.

Ik zou grote problemen krijgen met mijn Dikke Larry-imitatie, maar ik mocht het nu niet opgeven. Ik wist dat ik een briljante Dikke Larry kon zijn. Als ik tenminste ook een beetje kon koken.

Ik glimlachte naar mama, en knipperde innemend met mijn ogen.

'Zit er wat in je ogen, Emma?'

'Nee, nee. Niets aan de hand. Mam... het spijt me dat ik niet zo'n meisjesachtig meisje ben als Alice. Misschien kun je me een beetje helpen met die meisjesdingen.'

Nu knipperde mama met haar ogen. 'O, Emma, schat! Natuurlijk zal ik je helpen. Ik zou je precies kunnen voordoen hoe je je haar moet doen. Misschien kunnen we je nagels een beetje manicuren, die zijn altijd zo groezelig. En je zou weer naar je balletklas kunnen...'

‘*Geen* ballet, mam! Maar kan ik leren koken? Ik zou echt echt echt graag willen koken. Wil je me laten zien hoe ik dingen kan klaarmaken? *Alsjeblieft*?’
‘Ik denk niet dat we met pannenkoeken beginnen,’ antwoordde mama. ‘Maar ik wil je graag leren koken. Kom op. Je kunt me helpen met het avondeten. We maken bloemkool met kaassaus.’
‘Jakkes, mam. Ik *haat* bloemkool met kaassaus. Kunnen we geen spaghetti bolognese maken?’
‘Emma, je bent echt onmogelijk. Je bent de enige in de familie die het idee van bolognese nog kan verdragen en *jij* spuugde hem overal overheen.’ Mama sidderde bij de herinnering. ‘We eten bloemkool met kaassaus, graag of niet.’ Dat was het nu net. Ik wilde het liever *niet*. Ik hield niet van die kleffe stinkende stukken bloemkool die ronddreven in kaassaus. Ik was er zeker van dat bloemkool niet in het kookboek van Dikke Larry voorkwam. Maar ik ging tenminste koken en ik moest dringend oefenen.
Mama liet me kaas raspen terwijl zij de bloemkool waste en in stukken sneed. Ik moest *heel veel* kaas raspen. Telkens als ik dacht dat mama niet keek, nam ik snel een hapje van het grote stuk kaas in mijn hand. Ze zag me kauwen en las me uitgebreid de les.
‘Mam, het is bekend dat alle goede chefs hun eigen gerechten proeven. Dat is een deel van het creatieve culinaire proces,’ zei ik gewichtig, terwijl ik uitdagend nog een hapje nam.
‘Hou daarmee op! Ik wil geen tandafdrukken van jou in die kaas, kleine viespeuk. En chefs proeven hun gerechten nadat ze ze hebben klaargemaakt. Niet de rauwe ingrediënten. Vooruit, rasp maar verder. Ik wil dadelijk met de saus beginnen.’

Ik raspte. En raspte. En raspte. Ik probeerde er ritme in te krijgen. Ik maakte mijn eigen rapnummer en sloeg tegen de rasp op het ritme van het lied.

'Zo ben ik – ik rasp de kaas.
Zo ben ik – zo snel als een haas.
Zo ben ik – ik dans en ik raas.
Zo ben ik – ik schrik en ik blaas.
Zo ben ik – ik val om als een dwaas.
Zo ben ik – ik ben mama de baas.'

'Emma!' riep mama.
Ze liet me schrikken en ik raspte mijn duim in plaats van de kaas. Het bloed liep al snel over mijn berg geraspte kaas heen en kleurde die een interessante tint rood. Mama moest de bloederige kaas weggooien en helemaal opnieuw beginnen met een vers stuk.
Ik keek toe, zwaaiend met mijn pijnlijke duim vol pleisters.
'Wat kan ik doen, mama, als ik niet verder mag raspen?'
'Verdwijnen, Emma. Alsjeblieft. Ga de tafel dekken als je echt wilt helpen.'
'Maar dat is geen koken! O, mam, alsjeblieft. Laat me iets doen. Kom op. Je zeurt altijd dat ik geen interesse heb in meisjesdingen, en nu moedig je me absoluut niet aan.'
Mama zuchtte – maar toen ze klaar was met raspen, liet ze me zien hoe je kaassaus maakt. Ik probeerde het uit mijn hoofd te leren.
Ik was nog steeds in mijn rapstemming.

'Smelt de boter
neem dat stuk – het is groter.
Roer de bloem
er doorheen – boem boem.
Giet de melk
niet naast de kelk.
Daarna komt de kaas
en die is de baas.'

Ik rijmde en danste door de keuken.
Ik was de zingende, springende kok. Misschien kreeg ik mijn eigen televisieshow en werd ik even populair als Dikke Larry. Met de allerhoogste kijkcijfers: de Geweldige, Geestige Emma, die haar recepten rapt en haar kooktips tapt.
Ik tolde rond en zwaaide mijn armen wild door de lucht terwijl ik het meeslepende applaus van het studiopubliek in ontvangst nam. Mijn gebaren waren een beetje te uitbundig. Ik sloeg tegen de arm van mama en de sauspan vloog door de lucht...
Ik zat *alweer* In De Problemen. En toen we een hele tijd later gingen eten, had ik niet echt trek in mijn bloemkool met kaassaus.
'Ik neem aan dat Emma's kookkunst de pan uit swingt?' mompelde papa tegen mama toen hij ging werken. Het geschreeuw uit de keuken had door het hele huis gegalmd.
Mama snoof. 'Het is niet grappig. Ze komt mijn keuken niet meer in als ik kook. *Nooit meer*!'
'Goed gedaan, Em,' zei Max met een grijns. Ik had niet de moed om terug te grijnzen. Ik was het bijna eens met mama.

Het was helemaal niet grappig. Hoe zou ik ooit kunnen leren koken als ze me zelfs niet in de keuken liet? Ik besloot dat ik opa zou moeten smeken of ik bij hem thuis mocht oefenen.
De volgende dag op school voelde ik me ellendig. Koekie was onuitstaanbaar. Hij ging maar door over zijn Dikke Larry-glitterpak. *Zijn* moeder was naar Londen geweest op zoek naar precies de juiste glitterstof. Dikke Larry was gespecialiseerd in de kleuren van een stoplicht. Hij had een rood, een oranje en een smaragdgroen pak.
'Ik ga voor smaragd,' pochte Koekie.
'O. Je denkt waarschijnlijk dat ik groen word van jaloezie,' zei ik. 'Oké, dan ga ik voor een rood Dikke Larry-pak en dan zul jij rood aanlopen van woede.'
'Hou toch op met je stomme gedoe. Je weet dat ik Dikke Larry ben. Ik *lijk* op hem.'
'Ik zal ook op hem lijken.'
'Maar je hebt geen glitterpak.'
'Ik krijg er een. Mijn moeder gaat er een maken.'
'Ze zal zich moeten haasten. Heb je niet geluisterd? Over twee weken moeten we de projecten presenteren, zei mevrouw Watson. En er komt een prijs voor het beste project.'
'Dat duurt nog eeuwen,' zei ik luchtig. Maar diep in mezelf raakte ik in paniek. Ik zou iedere dag video's van Dikke Larry moeten bekijken en heel hard oefenen met koken.
Ik stormde de school uit, naar opa toe.
'Hallo Suikerkoekie. Waarom ben je zo gehaast?' vroeg opa, terwijl hij mijn hand pakte.
'Ik wil Dikke Larry kijken, opa, en echt koken voordat mama me op komt halen,' zei ik.
'O, help!' zei opa. 'Dikke Larry kijken is geen probleem, maar

dat echte koken zou wel eens een probleem kunnen zijn. Je vader belde vandaag. Ik wil niet dat je nog meer vingers wegraspt.'

Hij kneep zachtjes in mijn duim met pleisters.

'Ik *moet* kunnen oefenen, opa. Mag ik dit weekend langskomen? Zullen we dan samen leren koken?'

'Dit weekend heb ik het druk, liefje,' antwoordde opa met een vreemde glimlach.

'Opa, *alsjeblieft*!'

'Nee – ik kan echt niet, schat. Ik heb een speciale opdracht.'

'O, nee,' zei ik. 'Ik wou dat je die verdomde baan niet had.'

'Je taal, je taal! Het is best een goede baan, liefje. En zeker deze speciale weekendopdracht. Een of andere oude dame heeft tijdens een bezoek aan haar dochter haar been bezeerd. Ze moet worden opgehaald en naar haar andere dochter in Londen worden gebracht. Ze wil niet vliegen en ze kan niet met de trein, omdat haar been ondersteund moet worden. Ze heeft besloten comfortabel te reizen, dus haal ik haar op met de Mercedes.'

Ik vroeg me af waarom opa zolang bleef zeuren over die oude dame.

'Raad eens waar ze woont, Emma!' vroeg opa met glanzende ogen. 'Oost-Schotland – ongeveer veertig of vijftig kilometer bij het nieuwe huis van Alice vandaan. Ik dacht dus dat we jou in de auto konden stoppen en je meenemen voor een kleine tocht. Als we er vrijdagavond heen rijden, zou je de hele zaterdag met Alice kunnen doorbrengen. Zou je dat leuk vinden?'

'O, opa!' riep ik.

Ik sprong op, sloeg mijn armen om zijn hals en gaf hem een stevige knuffel.

Dertien

Ik was ontzettend opgewonden. Ik voelde hoe ik over de stoep zweefde en tapdanste in de lucht.
Tot mama er een stokje voor stak.
'Je opa is gek geworden. Je kunt niet het hele eind naar Schotland en weer terug reizen in een weekend. En die oude dame zal je niet in de auto willen, Emma. Het is gewoon belachelijk. En Karen zal er ernstige bezwaren tegen hebben dat je opeens voor haar deur staat. Ze vindt dat je een slechte invloed hebt op Alice, en dat *is* ook zo.'
Ik voelde me alsof mama een echte stok in haar hand had en mij ermee op mijn hoofd sloeg. Ik kwam weer met beide benen op de grond terecht. Het voelde alsof ze me door de vloer heen sloeg, dieper en dieper en dieper tot mijn kin op het tapijt terechtkwam.
Papa lag te pitten op de bank, zoals gewoonlijk. Maar opeens deed hij zijn ogen open. Hij kwam overeind. Hij liep naar mama toe. 'Wat gebeurt er allemaal?'
Ze vertelde het hem. 'Je vader heeft niet het recht dat allemaal teweeg te brengen. Emma is helemaal overstuur. Kijk hoe ze eraan toe is!'
'Alsjeblieft, mama. Laat me gaan. Opa zei dat het goed was,' snikte ik.
'Je opa speelt geen rol. Ik ben je moeder en ik zeg dat je niet gaat.'

Papa pakte zijn kop koffie. Hij nam een grote slok. 'Ik denk dat je opa *wel* een rol speelt, Emma,' zei hij. 'Ik ben je vader en ik zeg dat je *gaat*!'
Ik staarde papa aan. Mama staarde hem ook aan.
'Wat zeg je in hemelsnaam? Het is een krankzinnig idee. Je vader is gek geworden.'
'Nee, dat is hij niet. Hij kan het gewoon niet verdragen dat Emma zich zo ellendig voelt omdat ze Alice mist. Ik begrijp je bezwaren niet. Vader weet wat hij doet. Hij is de veiligste chauffeur die je haar kan toewensen. Hij zal ervoor zorgen dat hij goed uitgerust is. Het verhuurbedrijf zal wel tekeergaan als ze het ontdekken van Emma, maar als vader dat risico wil nemen, zie ik niet in waarom wij bezwaren zouden maken. Ze kan zichzelf makkelijk wegstoppen in een hoekje van de Mercedes. Misschien blijkt ze zelfs goed gezelschap voor die oude dame. En ja, we weten allemaal dat Emma niet de favoriet is van die ouderwetse verwaande Karen, maar ik betwijfel of ze het hart zal hebben om haar weg te sturen als ze voor de deur staat. Laat de kinderen samen een leuke dag doorbrengen. Het zal een soort vervroegde verjaardag voor hun tweetjes zijn.'
Papa nam opnieuw een grote slok koffie. Waarschijnlijk had hij een droge keel. Hij was het niet gewend om zoveel achter elkaar te zeggen.
Gewoonlijk praatte mama honderduit, maar nu leek ze met stomheid geslagen. Ik hield mijn adem in.
Ze keek naar papa. Ze keek naar mij. Ze schudde haar hoofd.
'Het is een waanzinnig idee. Ik heb het vreselijke gevoel dat het alleen maar in tranen zal eindigen.'
'Kijk eens naar dat kind. Ze is al in tranen,' zei papa. 'We laten haar gaan.'

Mama zuchtte. Toen haalde ze haar schouders op. 'Goed. Ik kan het niet tegen jullie allebei opnemen. Emma mag gaan.'
Ik vloog de lucht in. Ik was zo gelukkig dat ik opsteeg tot aan het plafond. Ik haalde Jasper over om me *ogenblikkelijk* zijn computer te laten gebruiken, hoewel hij midden in een zoektocht zat naar informatie over de melkweg voor een of ander saai schoolproject.
Ik dacht even aan *mijn* schoolproject, maar opeens kon het me niet meer zoveel schelen. Misschien liet ik Koekie gewoon Dikke Larry zijn. Hij was nu eenmaal dik, hij kreeg een glitterpak en hij kon koken. Ik begreep niet waarom ik er zo'n drukte over had gemaakt. Ik maakte me nu alleen nog druk over één ding. Alice zien!

Hallo Flora. Geef alsjeblieft het volgende Superbelangrijke Bericht ZO SNEL MOGELIJK aan Alice.

Lieve Alice, ik weet niet of je al plannen hebt voor zaterdag, maar als dat zo is, zeg ze dan onmiddellijk af omdat - raad eens raad eens wat!!! - mijn opa vrijdagavond met mij naar Schotland rijdt en hij me zaterdagochtend naar jullie huis brengt. Is dat niet GEWELDIG!!! Ik kan niet WACHTEN. Maar niets tegen je moeder zeggen, want ze mag me niet zo erg.
Veel liefs van je beste vriendin,
Emma

Ik hoopte dat het slome Margarine-Meisje meteen naar Alice zou rennen, maar helaas... Ik moest TIJDEN wachten op een antwoord. Ik viel Jasper voortdurend lastig en ik maakte hem het leven zuur. Ik was zo bang dat hij uit verstrooidheid mijn bericht had gewist of het had verwisseld met zijn schoolproject en het naar een of andere uithoek van de melkweg had gestuurd. Maar *uiteindelijk* stuurde Alice me een bericht terug.

Lieve Em,
Dat is geweldig nieuws! Ik kan niet wachten je te zien. Weet je hoe laat je aankomt? En wanneer je vertrekt? Ik ga namelijk 's ochtends meestal met mama winkelen, maar maak je geen zorgen, ik zal zeggen dat ik hoofdpijn heb of oorpijn of zoiets, dan kan ik thuisblijven. Hoewel, als ik te moeilijk doe, stuurt mama me misschien naar de dokter. Maar maak je geen zorgen. Ik zal wel wat verzinnen. Flora helpt me wel. Ze heeft altijd goede ideeën.
Liefs, Alice

Dat stukje over Flora stoorde me een beetje. Waarom wilde Alice haar er in hemelsnaam bij betrekken? *Ik* was degene die goede ideeën had. En *slechte* ideeën. Daar sta ik om bekend.
Ik had nog een briljant idee. Papa had gezegd dat het een soort vervroegde verjaardag voor ons tweeën zou zijn. Dus hadden we een verjaardagstaart nodig. Dan konden we samen onze kaarsen uitblazen en onze speciale voor-altijd-beste-vriendinnen-verjaardagswens doen. Dan waren we weer een heel jaar veilig.
Er was maar één klein probleem. Ik wist niet hoe ik een verjaardagstaart moest bakken.
Maar ik kende een jongen die dat wel wist.

'Hallo Koekie,' zei ik de volgende dag op school.
Koekie keek me zenuwachtig en ontwijkend aan.
'Wat is er aan de hand?' vroeg hij.
'Er is niets aan de hand,' antwoordde ik.
'Waarom grijns je dan zo naar me?'
'We zijn toch vrienden?'
'Emma, heb je in een tijdmachine gezeten? We *waren* ooit vrienden. Lang geleden. Toen kwam dat hele gedoe met jou en Alice en daarna wilde je geen vrienden meer zijn. Je vond dat we aartsvijanden waren en je wilde me zelfs in elkaar slaan. Dat was behoorlijk eng, want ik ben een Eerste Klas Lafaard. Nu hebben we een ongemakkelijke wapenstilstand omdat we aan ons Dikke Larry-project moeten werken en...'
'Over Dikke Larry gesproken, Koekie. Weet je nog, die heerlijke chocoladetaart die je had gemaakt? Dat zou een *uitstekende* verjaardagstaart zijn.'
Koekie smakte. 'Ja,' zei hij peinzend.
'Koekie, zou je me het recept kunnen geven?'
'Natuurlijk,' antwoordde hij. 'Ik ken het uit mijn hoofd. Goed, het gaat zo.'

En hij begon te praten. Het was alsof hij een totaal vreemde taal sprak.
'Wacht even,' zei ik terwijl ik het probeerde op te schrijven. 'Als je boter en suiker hebt, hoe maak je die romig? Giet je er room overheen?'
Koekie lachte alsof ik met opzet een grapje maakte. Toen zag hij mijn gezicht. 'Heb je nog nooit een taart gebakken, Emma?'
'Niet echt. Geen *taarttaart*.'
Toen we heel klein waren, hadden Alice en ik kommetjes zand gemengd en ze versierd met boterbloemen en madeliefjes. We noemden het taarten, maar ze waren niet echt eetbaar.
Ik had opeens een voorgevoel dat zelfs als ik echte ingrediënten zou gebruiken, mijn taart misschien niet eetbaar zou zijn.
'Opromen is makkelijk,' zei Koekie rustig. 'Zeker als je moeder een goede staafmixer heeft.'
'Van mama mag ik niet meer in de keuken komen. Ik denk ook niet dat ze een mixer heeft. Ze koopt mijn verjaardagstaarten bij de banketbakker. Ik ga de taart bij opa maken. En die heeft ook geen staafmixer, denk ik.'
'Heeft hij taartvormen? En een zeef? En een spuit voor glazuur, om er iets op te schrijven?'
'Nee. En nee. En nog eens nee,' zuchtte ik.
'Goed. Kom dan na school naar mijn huis. Je kunt alle spullen van mijn moeder lenen. En ik kan je laten zien hoe je de taart maakt,' stelde Koekie voor.
Zijn gezicht glom van de goede bedoelingen en de gulheid. Ik had wekenlang zo vreselijk tegen hem gedaan. Ik had hem zelfs in een hinderlaag gelokt in de toiletten en geprobeerd

hem in elkaar te slaan. Ik had hem opzettelijk beledigd. Ik had geprobeerd te verhinderen dat hij zijn held zou mogen zijn.
Hij was niet één keer gemeen tegen me geweest. Koekie had echt een groot hart.
Mijn eigen hart leek verschrompeld tot een piepklein korreltje zand. Ik kon het voelen jeuk, jeuk, jeuken in mijn borst.
'Je bent heel lief, Koekie,' zei ik met een dun stemmetje.
Koekie grinnikte. 'O, ik weet het niet. Het is wel leuk dat jij je schuldig voelt,' zei hij.
Ik deed alsof ik hem op het hoofd sloeg. Hij deed alsof hij aan mijn haar trok. We schaduwboksten een tijdje en gingen verder op het thema met kickboksen en kung fu. We deden alsof we vochten, tot we allebei slap lagen van het lachen. Mevrouw Watson kwam de klas binnen. Ze vond ons ineengezakt op een hoopje, terwijl we elkaar zwakjes met onze vingers prikten.
'Zijn jullie tweeën aan het vechten?' vroeg ze onzeker.
'Dit is een dodelijk duel vingerprikken, mevrouw Watson,' antwoordde ik. 'Alleen is het moeilijk om Koekie echt te prikken want hij is zo di... zo groot en sterk en gespierd.'
'Inderdaad,' zei mevrouw Watson. 'Hoe heerlijk het ook is om jullie tweeën op zo'n ongewone manier te zien vechten, ik denk toch dat jullie hier zijn om te *leren*. Spring allebei overeind en ga naar je tafel. Anders ga ik jullie prikken – met mijn lineaal!'

Toen opa me van school kwam halen, vroeg ik of ik met Koekie mee naar huis mocht om taart te leren bakken.
'U mag ook komen,' zei Koekie tegen opa.
'Dat is heel aardig, jongen, maar jullie willen vast niet dat ik met jullie meeloop,' zei opa.

'O, jawel!' kwam ik tussenbeide. 'Je kunt ook taart leren bakken, opa. Koekie maakt fantastische taarten. Ik wed dat Dikke Larry het niet beter zou doen.'
'Koekie lijkt wel een dubbelganger van jouw Dikke Larry,' zei opa. 'Waarom speelt *hij* in hemelsnaam niet die rol voor dat schoolproject?'
Er viel even een stilte. Ik haalde diep adem.
'Ja, opa. Daar heb je een punt. Goed, Koekie. Jij mag Dikke Larry zijn als we het project presenteren.'
Koekie beet peinzend op zijn lip. 'We zouden eigenlijk allebei Dikke Larry moeten zijn, vind ik. Dat is eerlijker,' zei hij. Hij overtuigde opa om ook mee te komen naar zijn huis.
'Wel, als je zeker weet dat je moeder het niet erg vindt,' zei opa. 'En over moeders gesproken, Em. We kunnen je moeder dan maar beter even bellen om haar te laten weten waar we zijn.'
Hij belde mama op het werk. Ik vermoedde dat ze hem aan de andere kant van de lijn de les las. Waarschijnlijk ondervroeg ze hem over Koekie en zijn familie. Opa drukte de hoorn dicht tegen zijn oor en mompelde verschillende keren: 'Ja, Liz. Nee, Liz.' Toen zei hij zonder geluid: 'Drie zakken vol, Liz,' zoals in het liedje. Ik begon te giechelen.
Op weg naar het huis van Koekie stelde opa voor dat wij bij het hek zouden wachten, in plaats van meteen naar binnen te gaan. 'Dan kun jij binnenwippen, jongen, en je moeder vragen of het wel uitkomt,' zei opa. Hij wreef over zijn oor alsof de stem van mama nog steeds nagalmde.
'O, mijn moeder vindt het vast prima,' zei Koekie. 'Ze vindt het leuk als ik vrienden mee naar huis breng.'
'Ja, maar misschien vindt ze mij niet leuk,' zei ik. '*Sommige*

moeders vinden me helemaal niet leuk.'
Maar mevrouw McVitie lachte me breed toe toen ze de voordeur voor ons opendeed.
'Dit is Emma, mam,' zei Koekie enthousiast.
'Natuurlijk,' zei mevrouw McVitie. 'Ik heb veel over je gehoord, liefje.' Ze glimlachte naar opa. 'En bent u Emma's vader?'
'Haar *opa*!'
'Dat had ik nooit geraden. U ziet er niet oud genoeg uit om opa te zijn,' zei mevrouw McVitie.
Ze plaagde hem maar wat, maar opa leek in zijn nopjes.
Iedereen lachte in de familie McVitie. Meneer McVitie glimlachte toen hij thuiskwam. Hij werkte in een herenkapperszaak. Hij woelde door mijn haar en vroeg me of ik het net had laten knippen.
'Nee. Ik zou het moeten laten groeien. Maar dat wil ik niet. Ik wil het echt echt kort. U wilt me vast niet knippen als een skinhead?'
Meneer McVitie bulderde van het lachen. 'Ik denk niet dat je moeder daar zo blij mee zou zijn, liefje. Ik denk dat je beter eerst met haar kunt overleggen.'
Ik besloot om het idee een tijdje te laten rusten.
De oma van Koekie glimlachte terwijl ze voor iedereen een kop thee maakte. Ze gaf opa thee in een mok waar STOERE BINK op stond. Opa moest erom gniffelen. Hij was van plan geweest om samen met mij kooklessen te volgen, maar uiteindelijk zat hij met de oma van Koekie op de bank in fotoalbums te kijken. Ze lachten allebei vrolijk om de kleren van vroeger.
Het babyzusje van Koekie, Polly, lachte ook. Ze lag in haar babystoeltje met haar kleine gebalde vuistjes te zwaaien en ze schopte met haar mollige roze beentjes. Koekie was *geweldig*

met haar. Hij zette haar babystoeltje boven op de keukentafel, naast ons, zodat ze kon zien wat we deden. Hij babbelde tegen haar alsof ze echt een klein persoontje was. Hij kietelde haar onder haar kin en deed een spelletje met haar kleine teentjes. Polly gierde van de pret en ze knipperde met haar blauwe ogen naar haar grote broer.

Ik vroeg me af of Max ooit zo met me gespeeld had. Ik wist zeker dat Jasper zelfs niet in mijn *buurt* was gekomen. Baby's brachten hem helemaal van zijn stuk.

Ik ben meestal ook niet zo dol op baby's. Ik zei beleefd dat Polly heel lief was. Ik kon niet zeggen dat ze mooi was, want ze was veel te roze en kaal en ze leek teveel op een big.

'Als je wilt, haal ik haar even uit haar babystoeltje. Dan kun je haar vasthouden,' zei Koekie.

'Geen sprake van!' antwoordde ik snel. 'Ik zou haar waarschijnlijk laten vallen.'

Mama zei altijd dat ik zo ruw en onhandig was. Ik had nu al een knoop in mijn maag. Stel dat het bakken een rotzooi werd. Ik zeefde de bloem inderdaad *net* iets te krachtig, zodat het leek alsof er een minisneeuwstorm door de keuken had gewaaid. Maar Koekie lachte alleen maar. *Zijn moeder lachte ook!*

Koekie deed mij voor hoe ik rustiger kon zeven. Toen demonstreerde hij de ingewikkelde oproomtruc. De boter en de suiker werden eerst een weinig belovende zanderige bal, maar uiteindelijk veranderde alles in een gladde en romige brij. Daarna leerde Koekie me het *leukste* van de taartbakkunst: de kom uitlikken!

Opa probeerde te betalen voor de ingrediënten, maar daar wilde mevrouw McVitie niets van weten. Opa beloofde de hele familie een gratis ritje in de Mercedes van zijn werk, de vol-

gende keer dat die beschikbaar was.
'Maar dit weekend kan het niet. Ik neem een heel speciale dame mee voor een lange, lange tocht naar het noorden,' zei hij met een knipoog naar mij.
'Ga je bij Alice op bezoek?' vroeg Koekie.
'Jep! Super, hè?' antwoordde ik.
'Zal wel. Dus die taart is voor *haar*?' vroeg Koekie.
'Voor ons. Om te delen. Een vervroegde verjaardagstaart. Als hij uit de oven komt, kun je me dan laten zien hoe ik er glazuur op moet doen en hoe ik er mooi op kan schrijven?'
'Oké.'
'Ik wil veel schrijven. *Alice en Emma, voor altijd beste vriendinnen*. Kan dat erop?'
'Waarschijnlijk.'
Koekie leek er geen zin meer in te hebben. Hij vulde de glazuurspuit, zodat ik op oliepapier kon oefenen terwijl de taart in de oven stond. Toen draaide hij zijn rug naar me toe en deed heel druk tegen Polly. Hij trok gekke gezichten naar haar en zij schaterde luidruchtig en goedkeurend.
Ik probeerde het suikerschrijven onder de knie te krijgen. Het was niet makkelijk. De krullen wiebelden en de rondjes vlekten.
Koekie begon kiekeboe te spelen met Polly. Telkens als hij 'boe' riep, schokte mijn hand en ging het mis met de letters.
'O, verdorie,' zei ik en ik gluurde ongerust naar mevrouw McVitie.
Ze was druk bezig met de afwas en had het gelukkig niet gehoord.
'Ik kan het niet!' jammerde ik.
'Je kunt het wel,' antwoordde Koekie. 'Blijven oefenen.'

‘Ik *oefen*. Help me, Koekie. Wil je de spuit samen met mij vasthouden het mij nog een keer voordoen? Alsjeblieft!’
Koekie zuchtte, maar hij kwam naar me toe. Hij legde zijn grote handen over de mijne en duwde vlotjes op de spuit. Ik liet hem de woorden kiezen. Hij schreef:

Emma is superslecht in glazuren

‘Goed, goed,’ zei ik en ik probeerde de glazuurspuit over te nemen. ‘Geef terug. Ik probeer het nog een keer.’
Ik schreef alleen, langzaam en trillend:

Koekie is een supervriend

Er verscheen weer een glimlach op het gezicht van Koekie.
Hij glimlachte en glimlachte en glimlachte.

Veertien

Het was geweldig om mee te rijden in de Mercedes. Opa noemde me de hele tijd Dame Emma en hij vroeg telkens of ik iets wilde drinken of een snoepje of een deken over mijn knieën. Rond zes uur stopten we bij een wegrestaurant. We kozen allebei een reusachtig bord worstjes, spek, bonen in tomatensaus en gebakken aardappelen. Opa liet me tomatensaus uit een fles over mijn bord spuiten. Ik wilde schrijven:

Hmmm wat lekker!

Maar dat nam teveel plaats in, dus hield ik het bij:

Hmmm!

Toen we verder reden zette opa de radio op een Gouwe Ouwezender. Hij zong allemaal oude liedjes voor me en vertelde hoe hij daar vroeger met oma op danste. Ik zong mee, maar toen het signaal zwakker werd, viel ik ook stil.
Ik nestelde me op de comfortabele leren bank, hoofd op een kussen, deken om me heen geslagen, en ik sliep urenlang heel diep. Ik was er me vaag van bewust dat opa me optilde, nog steeds in de deken gewikkeld, als een baby in een draagdoek. Hij droeg me een donker huis in en legde me op een kampeerbed.

Ik viel meteen weer in slaap. Ik werd wakker op een stralende zonnige ochtend, in een totaal vreemde kamer, met opa naast mij, die zachtjes snurkte in het grote bed.
Ik stond op en liep de kamer door. Ik gluurde door de gordijnen en verwachtte bergen en meren en langharige Schotse runderen te zien en mannen in Schotse rokken. Maar ik werd teleurgesteld. Ik zag alleen een doodgewone straat, met grijze huizen en een videotheek, een krantenwinkel en een Chinees afhaalrestaurant. Net als thuis. Er kwam een man de krantenwinkel uit met een krant en een fles melk. Hij had gewoon een broek aan, die zelfs niet eens geruit was.
'Waar kijk je naar, liefje?' mompelde opa.
'Schotland. Maar het ziet er niet erg buitenlands uit,' antwoordde ik.

'Wacht maar tot je het nieuwe huis van Alice ziet. Dat ligt echt op het platteland.'
'Kunnen we vertrekken?'
'Dadelijk. Als we ontbeten hebben.'
Het was een uitgebreid *Schots* ontbijt, klaargemaakt door mevrouw Campbell, de dame die het pension uitbaatte. We zaten in een speciale eetzaal, samen met de andere gasten. Opa en ik hadden een eigen tweepersoonstafeltje. Ik plukte aan het geruite tafelkleed.
'Is dat een Schotse ruit?' vroeg ik.
'Zeker weten. De Schotse ruit van Campbell, denk ik. Een heeeel belangrijke familie – vooral de vrouwen,' antwoordde opa, met een zwaar Schots accent.
Mevrouw Campbell vond het niet erg. Ze keek giechelend naar opa en gaf ons een extra grote portie pap.
'In Schotland moet je je pap met zout eten,' zei opa.
'Hij kan het zout krijgen, schat, maar *jij* krijgt bruine suiker en slagroom,' zei mevrouw Campbell, terwijl ze me een kom en een kannetje gaf. 'Maar laat nog wat plaats over voor je kippers.'
Ik wist niet zeker wat kippers waren. Het bleek heerlijke gebakken vis te zijn die zwom in de boter. Mevrouw Campbell haalde de graten er voor mij uit. Toen bracht ze ons een berg toast met een speciale pot Dundee marmelade.
'Ik *hou* van Schotland,' zei ik.
'Ik ook,' zei opa en hij wreef over zijn buik.
'Hé, misschien kunnen *wij* hier ook gaan wonen, opa. Jij en ik. Jij zou met de taxi kunnen rondrijden en ik kan naar de school van Alice. Dat zou geweldig zijn! Ik kan het huishouden voor je doen, opa. Ik word namelijk een grote kok. De moeder van

Koekie zei dat mijn taart absoluut tiptop was. Toch? Ik zou iedere dag een taart voor je kunnen bakken. Klinkt dat niet fantastisch?'
'En je moeder en vader en Max en Jasper en Dolle Hond?'
'Ach, die zou ik misschien wel een beetje missen, maar ik ben liever bij jou en bij Alice.'
'Laten we eerst maar eens beginnen met vandaag. Ik kan geen lange-termijnplannen aan. Niet op een volle maag,' zei opa. 'Even stil nu, terwijl ik naar de kaart kijk. Ik moet uitzoeken hoe we precies bij het huis van Alice komen.'
Het duurde langer dan we hadden gedacht. We reden dwars door het platteland. Zoals opa had beloofd, zagen we grimmige bergen en blauwe meren. Ik staarde naar de weiden – de ene na de andere – met volkomen normale koeien. Maar opeens zag ik een dik harig roestbruin beest met hoorns.
Ik slaakte een gil van opwinding en opa zwenkte en vloekte.
'In hemelsnaam, Em, wat is er? We hadden bijna een ongeluk!'
'Een Schotse koe! Kijk, opa, echt!'
'O, geweldig!' zei opa sarcastisch terwijl hij het zweet van zijn voorhoofd veegde. Maar toen glimlachte hij naar me. 'Sorry, liefje. Ik wilde niet onaardig doen. Het is gewoon... Ik begin me af te vragen of je moeder toch gelijk had. Ik denk dat ik gek aan het worden ben. Wat als Alice niet thuis is als we daar aankomen?'
'Ze is er wel, opa. Ik beloof het je,' antwoordde ik vrolijk.
'Hoe kun je daar zo zeker van zijn?' vroeg opa.
'Geloof me maar,' antwoordde ik.
'Oké. Laten we zeggen dat ze thuis *zijn*. Wat als haar moeder en vader niet willen dat je haar ziet? Ze waren zo boos omdat jullie waren weggelopen.'

'Opa, zelfs tante Karen gaat ons niet vertellen dat we moeten opkrassen als we verdorie honderden kilometers hebben gereden.'
'Hé, zeg. Let toch op je woorden, meisje.'
'Goed, goed. Kijk niet zo bezorgd, opa. Het wordt allemaal mooi en mooi en mooi.'
'Ja, maar stel dat Alice niet zo blij is om je te zien als jij zou willen?'
Ik staarde opa aan. Het was alsof hij opeens een vreemde taal sprak. Het sloeg nergens op. Misschien begon hij echt gek te worden.
'*Natuurlijk* is Alice blij me te zien,' antwoordde ik.
Eindelijk vonden we hun dorp. We reden er wel twee keer omheen. We vroegen de weg, sloegen de verkeerde straat in en de verkeerde hoek om, maar *uiteindelijk* reden we met een schokkende auto over een lang, begroeid pad. Aan beide kanten stonden grote bomen en struiken. We sloegen de hoek om naar een open plek en daar lag het huis.

Het was een geweldig huis! Ik begreep waarom tante Karen er zo opgewonden over had verteld. Een groot gebouw in grijze steen, met een hele reeks glas-in-loodramen en een enorme met spijkers beslagen voordeur. Bijna een paleis. Het leek wel zo'n reusachtig huis waarbij je moet betalen voor een rondleiding.
'Dit kan het huis van Alice niet zijn,' zei ik.
'Ongelooflijk! Ze zijn er echt op vooruitgegaan,' zei opa. 'Toch moet het hun huis zijn, want daar op de oprit staat de auto van Alices vader.'
'Kijk eens omhoog, naar het bovenste raam! Daar zit Melissa op de vensterbank – zie je haar lange krullen?' Toen ontdekte ik een ander hoofd. 'En daar is Alice!'
Ze keek uit het raam en zag ons beneden in de auto zitten. Haar hoofd verdween. Binnen enkele tellen zwaaide de zware voordeur open en kwam Alice naar buiten gestormd.
'Emma!'
'O, Ali, Ali, Ali!' riep ik. Ik sprong uit de Mercedes.
Het volgende ogenblik omhelsden we elkaar stevig, we zwierden samen in het rond en we lachten en huilden tegelijkertijd.
'Jullie zijn me er toch twee!' zuchtte opa, die zelf zijn tranen wegveegde.
'Heb je het tegen je ouders gezegd?' vroeg ik Alice.
'Ik heb het tegen *papa* gezegd,' antwoordde Alice.
Oom Bob kwam naar buiten. Ik was het zo gewend hem in dure pakken te zien, dat ik hem nauwelijks herkende. Hij was helemaal uitgedost voor zijn nieuwe plattelandsleven. Hij had een geruit overhemd aan en een dik gevoerd vest en een ribfluwelen broek en rubberlaarzen. Hij zag er in die zorgvuldige

groene uitrusting zo uit als een totale sufferd, dat ik in lachen uitbarstte. Gelukkig dacht hij dat ik lachte omdat ik blij was Alice te zien. Hij tikte me op mijn hoofd en schudde opa de hand en zei dat het verschrikkelijk goed van hem was dat hij dat hele eind gereden had. Hij keek vol verbazing naar de Mercedes.
'Nieuwe auto?' vroeg hij zwakjes.
Opa gniffelde. 'Ik wilde op mijn oude dag wel wat comfort,' zei hij. 'Ik moet allerlei dingen doen. Is het goed als ik Emma hier laat en haar tegen het avondeten kom halen?'
'Natuurlijk, natuurlijk,' antwoordde oom Bob, maar hij keek angstig toen tante Karen begon te roepen.
'Alice? Bob? Waar zijn jullie?'
Ze kwam door de voordeur naar buiten. Ze had een erg strakke witte broek aan en een donzige witte trui. En toen ze mij zag, werd haar gezicht ook wit. 'Emma! Jij vreselijk kind. Je bent toch niet *weer* weggelopen?'
Toen zag ze opa. Haar bleke gezicht liep rood aan. 'Het spijt me. Ik wilde haar niet...'
'Ze is een vreselijk kind. Dat weten we allemaal,' zei opa terwijl hij een arm om me heen sloeg. 'Maar deze keer is het mijn schuld. Ik moest naar Schotland voor zaken, dus heb ik Emma meegebracht. Ik hoopte dat ze vandaag bij Alice kon blijven spelen?'
'*Eigenlijk* zouden we...' begon tante Karen.
'O, mam! Ik moet genieten van elke *minuut* met Emma,' onderbrak Alice haar.
'Emma belooft een engel te zijn, nietwaar, madeliefje?' zei opa.
'Ja, maakt u zich geen zorgen, tante Karen. Ik zal echt mijn uiterste best doen.'

‘Misschien kun je blijven lunchen.’
‘O, mama! Emma moet vanavond ook blijven eten.’
‘Maar de Hamiltons komen. Ik weet niet zeker of we genoeg hebben...’ protesteerde tante Karen.
‘O, dat is geen probleem, tante Karen. Er is zeker genoeg, want ik heb een taart meegebracht. Helemaal zelf gemaakt. Nou ja, bijna helemaal. Toch, opa?’
‘Ja, inderdaad, schat. Maar misschien kun je beter niet blijven, als het te moeilijk is,’ zei opa met gefronste wenkbrauwen.
‘Nee, nee, natuurlijk kan Emma blijven. U ook.’ Tante Karen haalde diep adem en liet een bijzonder valse glimlach zien. ‘Het zal enig zijn. Goed, wilt u het huis zien? Het vraagt uiteraard nog wat tijd voor het precies wordt zoals we het willen, maar dat begrijpt u natuurlijk.’
Opa raakte verstrikt in de Grote Rondleiding. Hij veegde zorgvuldig zijn voeten toen hij de hal inliep en deed heel erg zijn best de goede opmerkingen te maken over de grote luchtige kamers en de prachtige dikke tapijten en het duizelingwekkende behang en het geweldige uitzicht. Telkens als tante Karen de andere kant op keek, trok opa een gek gezicht.
Alice huppelde voorop. ‘Wacht maar tot je mijn kamer ziet, Emma. Wacht maar!’ riep ze de hele tijd.
We moesten eerst de slaapkamer van tante Karen en oom Bob en hun aangrenzende badkamer bekijken. Tante Karen liet zelfs zien hoe de powerdouche werkte, waarbij ze ons een beetje nat spetterde, zodat opa zijn bril moest afvegen.
‘En dit is de logeerkamer,’ zei tante Karen terwijl ze de volgende deur opendeed. Toen beet ze op haar lip en deed de deur snel weer dicht. ‘We hebben hem nog niet helemaal opgeknapt. Er is nog geen goed extra bed,’ zei ze.

Ik weet zeker dat tante Karen loog. Ze wilde gewoon niet met ons als *logees* opgescheept zitten.
'Nu zal ik jullie de kamer van Alice laten zien,' zei ze.
'Eindelijk,' zei Alice, die mijn hand pakte en me naar binnen trok.
Ik had ook mijn voeten geveegd, maar ik vroeg me af of ik mijn schoenen niet uit moest doen. Alice had een lichtroze tapijt in haar hele kamer, met een donkerroze vloerkleed in de vorm van een roos naast haar bed. En een nieuw dekbed, wit met roze rozen, en bijpassende gordijnen met frutsels en franjes. De kleerkast en ladenkast uit haar oude kamer stonden er nog wel, maar ze waren roze geverfd zodat ze bij het tapijt pasten. En een gloednieuw bureau – ook roze geverfd – met een zacht roze schrift en een etui en verschillende roze stiften er keurig bovenop.
'Het is erg, ehm... roze,' zei ik.
Ik keek naar Melissa op de vensterbank. Mijn hart begon sneller te kloppen. 'Ze heeft een roze jurk aan,' zei ik.
Alice glimlachte. 'Ja, ziet ze er niet prachtig uit? Ik heb hem van Flora gekregen. Zij heeft zo'n moderne porseleinen pop, die Juffrouw Rozenblad heet en we hebben de jurken geruild. Melissa past nu bij mijn slaapkamer.'
Ik slikte. Ik keek stiekem naar opa, maar die was tante Karen zo uitgebreid aan het complimenteren met haar bloemenbehang, dat hij niets had gemerkt.
Melissa zag er vreselijk uit in die armoedige roze jurk met franjes. Ik wilde haar vreselijk graag haar eigen witte jurk weer aantrekken, maar ik kon nu geen rel schoppen. Ik had beloofd mijn uiterste best te doen.
Alice leek niet door te hebben dat ik me ergerde aan Melissa's

jurk. Dat was ook vreemd, omdat we altijd precies wisten wat de ander dacht. Alice liet me vrolijk al haar nieuwe roze schatten zien. Ze had zelfs een nieuwe roze ochtendjas en een roze nachtpon met spaghettibandjes.

'Als ik hem aan heb, doe ik alsof het een avondjurk is en ik een popster ben,' zei Alice. 'Is hij niet prachtig. Zo sexy!' Ze hield de nachtpon tegen zich aan en draaide rond, met gekke wiebelende danspasjes.

'Nee, *dit* is sexy,' zei ik, terwijl ik als een pronkerige pauw op mijn tenen in de rondte paradeerde en deed of ik in een nachtclub danste. Ik had dat een keer op de televisie gezien net voor mama die snel uitzette.

'Wie doe *jij* na, Emma?' vroeg tante Karen verontwaardigd.

'Zo is het wel goed, Em,' zei opa. 'Ik dacht dat jij je uiterste best zou doen? Stel ons niet teleur, want dan mag je van tante Karen vast niet bij Alice blijven spelen.'

'Jawel, jawel. Natuurlijk kan ze blijven. Tot de thee. Nee – tot na de thee, natuurlijk. Het zal enig zijn. Voor Alice.'

Opa zei dat hij beter kon gaan omdat hij nog allerlei boodschappen moest doen. Ik gaf hem een stevige knuffel. Opeens had ik een vreemd gevoel. Ik wilde niet dat hij me achterliet. Ik wist niet wat er met me aan de hand was. Het was mij alles waard geweest om bij Alice te zijn, en toch was ik opeens niet meer zo zeker van haar. Alsof ze zelf felroze was geschilderd en een jurk met franjes aanhad.

Opa ging de taart uit de auto halen en gaf de doos aan tante Karen. Zij bleef beneden in de keuken, en bereidde haar theevisite voor. Oom Bob floot buiten in de tuin. Alice en ik bleven samen achter.

Ik keek naar haar. Zij keek naar mij.

'En... vind je mijn kamer mooi?' vroeg Alice.
'Ja, heel mooi,' antwoordde ik.
Ik ging heel behoedzaam achter op het bed zitten. Alice kwam naast me zitten.
'En vind je al mijn nieuwe spullen leuk?'
'Alles is prachtig. Maar het is wel heel erg dat je Teddy bent kwijtgeraakt!'
'Ach, hij was oud en versleten. Ik vind mijn ballerinabeer *veel* leuker. Ik krijg allerlei nieuwe spullen. Mama zegt dat ik misschien een eigen televisie krijg.'
'Een donzige roze?' vroeg ik.
'Ik denk niet dat ze die maken,' antwoordde Alice, die mijn vraag serieus nam.
'Waarom vraag je geen eigen computer? Dan kunnen we elkaar rechtstreeks e-mailen, zonder Flora.'
'Flora vindt het niet erg. Ze doet er nooit moeilijk over. Ze is altijd vreselijk lief,' zei Alice. 'Je zult haar vanmiddag ontmoeten, Emma. Ze komt op bezoek met haar moeder en vader.'
'Maar... maar je wist dat *ik* kwam,' zei ik.
'Ja, maar mama heeft ze uitgenodigd. Je zult Flora wel leuk vinden. Ze is geweldig.'
'Ik dacht dat het een soort verjaardagsfeest voor ons zou zijn – voor jou en mij.'
'Maar het duurt nog weken voordat we jarig zijn.'
'Ja, maar ik heb een taart gebakken, zodat we onze verjaardagswens kunnen doen.'
'Een *echte* taart?'
'Ja. Wacht maar tot je hem ziet.'
'Em, je kunt niet koken.'
'Jawel. Koekie heeft me geholpen.'

'O, jakkes! Ik wil geen taart van Koekie.'
'Hij is een prima kok. Hij kijkt naar Dikke Larry. We doen een project over hem op school.'
'Wat een raar project! Hé, wil je ons Egyptische project zien? Flora heeft vooral geschreven en ik heb getekend. Oude Egyptenaren teken je van opzij en ik ben goed in neuzen.'
'Denk je dat de oude Egyptenaren ook echt zijwaarts liepen?' vroeg ik terwijl ik opsprong en het voordeed.
'Doe niet zo stom, Em. Kijk, deze Egyptische mummie heb ik getekend. Het duurde eeuwen om de hiërogliefen te tekenen. Ik heb speciaal gouden verf gebruikt voor de randen om te laten zien dat het een bijzondere koninklijke mummie is.'
'Een man of een vrouw?'
'Dat kun je niet altijd zien. Ze droegen allemaal zwarte oog-make-up.'
'Misschien is het een puzzelmummie. Als je hem openmaakt, zie je binnenin een andere versierde mummie, en dan nog een en nog een - weet je wel, zoals die Russische poppen - en *uiteindelijk* vind je een piepkleine babymummie, met hierowatsie tekeningen van konijntjes en ooievaars en donzige eendjes.'
'O, Emma!' riep Alice, maar ze begon te giechelen.
'Kijk. Ik heb ook een kattenmummie getekend. Jij herinnerde me eraan. Ze zien er zo vreemd uit, helemaal uitgestrekt. Ik vraag me af of ze ook andere dieren als mummies bewaarden.'
'Stel je voor: een koeienmummie! Een hele klus om die poten op de juiste plaats te houden. Dat zou er vreemd uitzien: een lange uitgerekte nek en een kop met hoorns. Stel je voor, een *giraffen*mummie... met zo'n ellenlange nek!'
'Ik denk niet dat er giraffen zijn in Egypte,' antwoordde Alice,

maar ze had nu echt de slappe lach.
Ik draaide mezelf in haar dekbed en stak mijn hoofd eruit. Met uitpuilende ogen deed ik of ik een giraffenmummie was. Alice lachte zo hard dat ze op haar bed viel.
'O, Emma, ik heb je gemist. Je bent zo *grappig*.'
We bleven de hele ochtend in de kamer van Alice en we lachten ons rot. Het was alsof het roze al wat was verbleekt en we weer thuis in haar oude kamer zaten.
Ik werd een beetje zenuwachtig toen tante Karen ons riep voor de lunch. Ik knoei altijd meer dan gewoonlijk als ik niet op mijn gemak ben. Maar het was geen formele vork-en-mes-zit-rechtop-aan-tafel-lunch. Ze had hotdogs gemaakt met patat en sla, op blauwe plastic borden. Tante Karen at alleen sla.
'Houdt u niet van hotdogs, tante Karen?' vroeg ik.
'Ik houd het liever bij sla,' antwoordde tante Karen. Maar ze zag er niet uit alsof ze genoot van haar geraspte wortels en blaadjes sla.
'Ze volgt een of ander dom dieet,' zei oom Bob. 'Ik begrijp niet waarom je af wilt vallen, schat. Ik vind dat je er geweldig uitziet.' Hij deed alsof hij haar een klap op haar dikke witte billen gaf.
'Bob! Hou op!' snauwde tante Karen, maar ze leek het niet zo erg te vinden.
Oom Bob trok een gezicht naar Alice en mij en we begonnen te giechelen.
Tante Karen had een speciale fles met tomatensaus voor op de hotdogs. Dat was verleidelijk. In felrode letters schreef ik *Emma* op mijn hotdog. Alice probeerde *Alice* te schrijven, maar haar letters waren veel schever.
'Hoe komt het dat je daar zo goed in bent, Em?'

'Ik heb geoefend. Wacht maar tot je straks onze taart ziet,' zei ik. Ik voelde me tevreden over mezelf.
Had ik maar gevraagd of we onze speciale verjaardagstaart meteen konden krijgen! Maar tante Karen gaf ons allebei vanille-ijs met slagroom en noten, met kersen uit blik. We telden onze kersenpitten.
'Edelman, bedelman, dokter, pastoor, koning, keizer, schutter, majoor, edelman... Jippie!' riep Alice. Ze verstopte haar laatste kersenpit onder haar bord omdat ze niet bij *bedelman* wilde uitkomen.
'Met wie ga jij trouwen, Emma? O, wat jammer... *bedelman*!'
'Het kan best leuk zijn om met een bedelman te trouwen en een bedelvrouw te worden. Dan neem je zo'n schriele bedelhond en zing je op straat.' Ik pakte een stukje hotdog dat was blijven liggen en deed alsof ik mondharmonica speelde.
Ik vergat de tomatensaus.
'Emma! Het lijkt wel of je mond vol lippenstift zit,' zei Alice. Ze probeerde me met haar servet schoon te vegen.
'Misschien is het wel *bloed* en ben ik eigenlijk een vampier. En jij ziet er zo onweerstaanbaar uit dat ik stiekem een hap uit je leliewitte hals heb genomen,' zei ik en ik ontblootte mijn tanden en bewoog mijn hoofd naar haar toe.
Alice gilde.
Oom Bob lachte.
Tante Karen fronste haar wenkbrauwen. 'Niet aan tafel, Emma,' zei ze.
Ze maakte de hele tijd vreemde bewegingen met haar mond omdat er een stukje wortel tussen haar tanden vastzat. Ze probeerde het met haar tong los te peuteren. Mijn eigen tong kon niet wachten om haar na te doen, maar ik wist dat ik tante

Karen al op de zenuwen werkte. Toen ze naar de koelkast liep om water te halen, waagde ik het toch.
Alice nam net een grote slok cola. Ze snoof vreselijk en de cola spoot uit haar neus. Net een indrukwekkende fontein.
'Emma!' riep tante Karen zonder om te kijken.
'Verkeerde verdachte!' zei oom Bob, die Alice op de rug klopte.
'O, Alice! Kijk, helemaal over je dure T-shirt heen. Je moet je maar gaan omkleden, want de Hamiltons komen op visite.'
Ik fronste mijn wenkbrauwen en wreef verstrooid met mijn rode sausvingers over mijn merkloze T-shirt.
Ik wilde dat de Hamiltons niet waren uitgenodigd. Ik wilde wilde wilde vooral dat Flora niet kwam.

Vijftien

De moed zonk me in de schoenen toen ik Flora zag. Ze was precies zoals ik mij haar had voorgesteld, alleen nog erger. Ze had lang blond haar dat zachtjes golfde, tot ver over haar schouders. Blauwe ogen en een bleke romige huid als lichte rozenblaadjes. Ze was sierlijk dun, met een delicate hals en puntige ellebogen. Haar lange benen hadden mooi gevormde danserskuiten. Ze had niets bijzonders aan, gewoon een korte broek en een T-shirt. Maar het T-shirt liet haar strakke buik nét onbedekt en de korte broek zou je aankunnen als je naar de disco gaat. Niet zo'n zakachtig model waarin je kont er raar uitziet.
'Dit is Flora, Emma,' zei Alice. Ze sprak haar bloemennaam uit alsof hij heel speciaal was. Ze keek naar haar alsof Flora een prinses was en zij haar dienstmeisje.
Op dezelfde manier danste tante Karen naar de pijpen van Flora's moeder. Die zag er net zo uit als Flora, maar dan in volle bloei. Oom Bob kon zijn ogen niet van haar afhouden. Ze droeg een witte broek die erg veel op die van tante Karen leek, maar ze zag er toch heel anders uit. En oom Bob zag eruit

alsof hij zin had om haar ook op haar billen te slaan.
Hij slaagde erin zijn blik net lang genoeg af te wenden om de vader van Flora een biertje aan te kunnen bieden. Tante Karen snoof geïrriteerd en zei dat ze een speciale kan Pimm's voor iedereen had gemaakt. Ik wist niet wat Pimm's was, maar het zag er heel mooi uit. Net donkere limonade waarin stukjes fruit en muntblaadjes ronddreven als kleine bootjes.
Mijn keel was droog. Ik slikte hoopvol, hoewel er maar vier glazen naast de kan stonden. Het was een hele grote kan. Ik keek hoe tante Karen voorzichtig inschonk. Ze gebruikte maar de helft van het limonadespul.
'Mag ik alstublieft ook een klein beetje Pimm's, tante Karen?' vroeg ik voorzichtig en zo beleefd mogelijk.
Tante Karen zuchtte alsof ik opzettelijk brutaal deed. 'Doe niet zo belachelijk, Emma,' antwoordde ze.
Ze keek naar de moeder van Flora en trok haar wenkbrauwen op. Flora gniffelde.
'Ik weet niet wat er zo grappig is,' zei ik.
'Er zit *alcohol* in Pimm's,' antwoordde Flora. 'Dat weet toch iedereen.' Ze porde Alice in haar ribben. Alice giechelde.
'Natuurlijk weet ik dat er in Pimm's wat alcohol zit,' zei ik met mijn kin in de lucht. 'Ik heb nu eenmaal *toestemming* om alcohol te drinken.'
'Alsof je moeder ooit zoiets zou toestaan!' zei tante Karen scherp.
'Mijn moeder niet,' antwoordde ik. 'Maar ik drink vaak een biertje bij mijn *opa*.'
Ik vertelde geen *echte* leugens. Opa heeft me een keer een slok uit zijn glas laten drinken, om te proeven. Eigenlijk smaakte het *verschrikkelijk* vies.

Oom Bob barstte in lachen uit. 'Je bent me er eentje, Emma,' zei hij.
'Zo kun je het wel stellen,' zei tante Karen. 'Ik heb voor jullie meisjes een kan echte limonade gemaakt. Neem maar mee naar achter in de tuin en laat ons met rust. Flora, jij draagt het dienblad. Ik weet dat je voorzichtig zult zijn.'
We liepen in een stoet de tuin in. Flora voorop met het dienbord met rinkelende glazen. Alice dribbelde er als tweede achteraan met de kan voorzichtig tegen haar borst geklemd. En ik sloot de rij, zonder iets in mijn handen, omdat ze me niet vertrouwden.
Achterin bood de tuin opwindende mogelijkheden. Er stonden zoveel struiken dat we bijna helemaal uit het zicht waren van de volwassenen, die op de groene tuinstoelen zaten. Het gras groeide hier in bosjes om onze enkels, en grote witte onkruidbloemen reikten tot aan ons hoofd.
'We kunnen hier jungle spelen, Alice,' zei ik opgewonden.
'Jungle *spelen*?' vroeg Flora.
'Emma is goed in verzonnen spelletjes,' antwoordde Alice snel.
Flora knipperde snel op een rare manier met haar ogen om te laten zien hoe verbaasd ze was. 'Ik heb al jaren geen spelletjes meer verzonnen!' zei ze. 'Maar goed, jij bent bij Alice te gast, Emma. Jij mag kiezen. Dat is beleefd.'
'Ik ben niet haar *gast*. Ik ben haar beste vriendin,' zei ik fel.
'Zullen we onze limonade drinken?' vroeg Alice. 'Je hebt het warm, hè Em?'
Ik gloeide. Ik had een hele vijver limonade kunnen leegdrinken en dan nog zou ik gloeien. Dit was mijn ene en enige speciale dag met Alice. Waarom moest Flora zich ermee bemoeien en

de dingen verknallen? Nu konden we geen echte spelletjes meer doen. Flora leek alleen te willen praten.
Ze praatte over hun Egyptische project en hoe zij alle informatie had gevonden op het internet en had uitgeprint. Alice zei dat ze slim was. Ik zei dat je niet echt *slim* hoefde te zijn om dingen uit te printen. Ik probeerde hen een heleboel dingen te vertellen over de Egyptenaren, maar ze luisterden niet meer.
Flora praatte over ballet en hoe ze was uitgekozen voor een solo bij hun eindejaarsvoorstelling. Alice zei dat ze briljant was. En ik zei dat ik ballet stom vond en dat moderne dans veel leuker was. Ik probeerde rond te zwieren en te tapdansen, maar ik struikelde en Flora lachte. Alice lachte ook.
Flora praatte over haar rijlessen en haar pony, Nootmuskaat. Alice zei dat ze geluk had en dat zij niet kon wachten tot ze een eigen pony kreeg. Ik zei dat ik een witte pony kreeg, Diamant. Zodra Flora haar mond opendeed, zei ik dat ik wist dat je het een schimmel noemde, maar mijn Diamant was zo wit als sneeuw. 'Toch, Alice?' vroeg ik.
'Ze heeft niet echt een pony, hè?' vroeg Flora.
'Nou ja...' antwoordde Alice.
Ze zei niet nee. Dat was niet nodig.
'O, ik begrijp het – een *verzonnen* pony,' zei Flora. Ze klakte met haar tong en galoppeerde. Ze had me nooit op mijn verzonnen Diamant zien rijden, maar ze deed het vreselijk precies na. 'Hi-i-i-i!' hinnikte ze.
Flora snoof en gooide haar hoofd naar achteren zodat Alice opnieuw om me zou lachen.
Alice boog haar hoofd en trok een bosje lang gras uit de grond. Ze begon het ineen te vlechten. Haar haar viel over haar gezicht zodat we niet konden zien of ze lachte of niet. Ik keek

hoe haar mooie kleine vingers voorzichtig vlochten.
'Wat maak je?' vroeg Flora.
Ik *wist* wat ze maakte.
'Gewoon, sieraden van gras,' antwoordde Alice.
Het was niet zomaar een sieraad. Het was een vriendschapsarmband. Toen ze klaar was met vlechten hield ik mijn adem in. Ze keek op en glimlachte naar me. Ze deed het bandje om mijn pols en knoopte de eindjes aan elkaar vast. Ik greep haar hand vast en we knepen in elkaars duim.
'Dat ziet er cool uit. Maak er voor mij ook een!' eiste Flora.
Alice maakte er gehoorzaam een voor haar. Groter en beter dit keer omdat ze langer gras gebruikte en het gelijker verdeelde, maar dat vond ik niet erg. Ik had de *eerste* armband. De echte vriendschapsarmband.
'Laten we je echte sieraden omdoen, Alice,' zei Flora. 'Mag ik je zilveren bedeltjesarmband om?'
Wat wist *zij* van Alices sieraden? En hoe kon ze zelfs maar denken dat ze *mijn* lievelingsarmband, met de zilveren ark van Noach, om mocht? Het leek alsof de piepkleine giraffen en de olifanten en tijgers me beten met hun kleine vlijmscherpe tandjes.
Alice aarzelde toen we boven in haar kamer kwamen. Ze deed de sieradendoos open en keek hoe de kleine ballerina rondjes danste. Ze liet haar vingers over al haar schatten glijden: het gouden hartje aan een ketting, de kleine babyarmband, het jade hangertje, de zilveren medaillon en de fonkelende broche in de vorm van een Schotse terriër. Ze probeerde iedere ring om een vinger te doen: de Russische ring van gevlochten goud en de granaat en al de nepringen van Kerst. De zilveren bedeltjesarmband raakte ze niet aan.

Flora stak haar hand uit en greep hem uit het kistje. 'Ik vind dit armbandje *super,*' zei ze terwijl ze tegen elk bedeltje tikte. 'Vooral de ark van Noach. Er zitten piepkleine dieren in, Emma. Kijk.'

'Ik weet het,' zei ik. 'Het is ook mijn lievelingsarmband. *Ik* mag hem altijd om als we ons verkleden.'

'Ik heb het eerst gevraagd,' zei Flora.

Alice keek me hulpeloos aan.

'Goed,' zei ik schouderophalend. 'Doe jij hem maar om, Flora.'

Ik besloot het me niet teveel aan te trekken. Alice had de eerste vriendschapsarmband voor mij gemaakt. Dat was belangrijk. Ik zou hem voor altijd en altijd om houden.

Alice en Flora tooiden zich met alle sieraden.

'Wil je mijn roze nachtpon aan, Emma? Het is net een echte dansjurk,' bood Alice aan.

'Nee, dank je,' zei ik. 'Ik haat roze. Dat weet je.'

Ik realiseerde me opeens hoe grof dat klonk temidden van Alices extreem roze slaapkamer. 'Roze *kleren,*' verbeterde ik mezelf. 'Roze is perfect voor meubels en gordijnen en muren en zo. Ik ben gewoon niet zo dol op roze *jurken*.'

Ik liep naar de vensterbank en pakte Melissa. 'Zij houdt daar ook niet van,' zei ik terwijl ik haar roze satijnen jurk losknoopte.

'Voorzichtig met Rozenknop. Het is een antieke pop,' zei Flora.

'Dat *weet* ik. En wat is dat voor een onzin, Rozenknop? Ze heet Melissa.'

'Ja, maar dat is een lelijke naam. Rozenknop is veel mooier en hij past bij haar rozige jurk. Ik heb hem speciaal aan haar

gegeven,' zei Flora.
'*Ik* heb Melissa speciaal aan Alice gegeven,' antwoordde ik terwijl ik haar uit de roze prullerige jurk haalde en die op de grond liet vallen. Melissa zag er veel gelukkiger uit in haar lange witte onderbroek en haar onderjurk.
'Jij hebt echt geen antieke pop voor haar gekocht,' zei Flora. 'Alice zei dat jullie heel arm zijn.'
De wangen van Alice kleurden zo roze als de Rozenknop-jurk. 'Zo heb ik dat niet gezegd, Flora. En Emma heeft me die pop *wel* gegeven. Ik voel me er alleen nog steeds schuldig om. Wil je haar terug, Em?'
Ik had het moeilijk. Ik klemde Melissa stevig tegen me aan. Het was bijna alsof ik oma knuffelde. 'Het is goed zo. Je mag haar houden. Maar beloof me dat ze Melissa blijft. Ze vindt het *vreselijk* om Rozenknop te heten.'
'Het is een pop, Emma. Ze kan niet denken,' zei Flora.
Dat dacht *zij*. De donkere glazen ogen van Melissa waren strak op Flora gericht. Ze haatte haar. En ik haatte haar ook.
Toen riep tante Karen ons omdat het eten klaar was. Ze had alles uitgestald op de tuintafel, met een geel en groen geruit tafelkleed en bijpassende servetten. Het eten had dezelfde kleuren groen en geel: broodjes met komkommer, gouden schijfjes quiche en pizza, groene sla, citroentaart en kwarktaart.
Ik keek ongerust rond. 'Waar is *mijn* taart, tante Karen?'
'O, ja. Sorry schat. Vergeten,' antwoordde tante Karen. 'Maar de tafel staat nu een beetje vol. Misschien kunnen we hem bewaren voor later.'
'Maar dan ben ik er niet meer,' protesteerde ik. 'Opa komt me straks ophalen. *Alstublieft*, mogen we nu mijn taart? We kunnen er plaats voor maken, makkie.' Ik probeerde voor te doen

hoe en duwde de borden opzij.
'Goed, goed. *Voorzichtig*! Ik doe het wel, Emma,' zei tante Karen.
Ze ging naar de keuken en bracht mijn taart mee, op een witte schaal. Hij was van schitterende, volle chocola. Boven op de taart stond keurig met suikerglazuur geschreven: *Alice en Emma*. En helemaal rondom zaten kleine roosjes.
'O, Emma!' riep Alice. 'Wat een prachtige taart!'
'Mijn hemel,' zei tante Karen. 'Je gaat me niet vertellen dat je die zelf hebt gebakken, Emma!'
'Hij ziet er heerlijk uit,' zei Oom Bob. Hij glimlachte me bemoedigend toe. 'Ik denk dat ik voor mezelf een geweldig groot stuk ga afsnijden.'
'O, nee, alstublieft! Alice en ik moeten hem samen snijden,' zei ik en ik probeerde hem snel tegen te houden.
Tante Karen zuchtte. 'Wiens theevisite is dit eigenlijk, Emma?' zei ze terwijl ze weer met opgetrokken wenkbrauwen naar de moeder van Flora keek.
'Alsjeblieft, mogen wij de taart snijden, mama?' vroeg Alice.
'O, goed dan. De meisjes snijden de taart,' antwoordde tante Karen. 'Dan kunnen we misschien rustig eten.'
Ze pakte het mes... en gaf het aan *Flora*.
'Flora niet!' riep ik. 'Alleen Alice en ik.'
Het klonk waarschijnlijk vreselijk verwend en onbeleefd, maar ik kon er niets aan doen. Tante Karen staarde me aan.
'Nu ga je te ver, Emma. Flora, liefje, ga je gang en snijd de taart.'
'Nee! Nee, u begrijpt het niet. Alice en ik moeten een speciale wens doen,' zei ik wanhopig, terwijl ik bij mijn kostbare taart probeerde te komen.

Flora hield nog steeds het taartmes in haar hand. Ze glimlachte naar me.
'Eerst ga ik *mijn* speciale wens doen,' zei ze en ze duwde het mes diep in de romige chocoladevulling.
Ik kon het niet verdragen. Mijn handen schoten naar voren. Ze pakten de schaal vast.
'Nee, Emma! Nee!' gilde Alice.
Ik kon mezelf niet tegenhouden. Ik tilde de taart op en duwde hem recht in Flora's rozige zelfvoldane gezicht.

Zestien

‘Stap in de auto,’ zei opa. ‘Verdorie, Em. Je pakt de dingen wel grondig aan! Nu heb je het echt verknald. Je hebt het echt echt echt verknald.’

Dat wist ik. Ik wist dat tante Karen me met haar taartmes zou steken als ik ooit nog op bezoek kwam. Ik wist dat Flora me nu nooit nooit nooit meer met Alice zou laten e-mailen. Ik wist dat ik niet langer Alices beste vriendin kon zijn. Ik had me zo krankzinnig gedragen dat ze me waarschijnlijk beschouwde als haar ergste vijand.

Ze was Flora aan het helpen. Ze veegde de room uit haar wenkbrauwen en de chocolade uit haar lange blonde haar.

‘Alice wil me vast nooit meer zien,’ snikte ik.

‘Ik denk niet dat dat zo is,’ zei opa terwijl hij omkeek.

Daar kwam Alice vanuit het huis naar ons toegerend met Melissa in haar armen. Tante Karen riep haar woedend na, maar Alice besteedde geen aandacht aan haar.

‘Hier, Em,’ hijgde ze en ze duwde Melissa door het raampje naar binnen. ‘Neem haar mee terug. Zo hoort het. Ze is van jou. *Ik* heb haar nooit Rozenknop genoemd. Dat deed Flora.’

‘Al, het spijt me dat ik de taart naar Flora gooide. Het was gewoon *onze* taart en *onze* wens.’

‘Ik weet het. Flora vroeg erom. O, Em, hoe ze keek!’ Alice begon opeens te schaterlachen en ik ook.

Tante Karen kwam luid gillend naar ons toegerend.

'Ooo. We kunnen er beter vandoor gaan, Em,' zei opa.
Ik leunde helemaal uit het raam en gaf Alice een laatste knuffel. 'Zijn we nog steeds beste vriendinnen?' vroeg ik terwijl opa wegreed.
'Natuurlijk!' riep Alice over haar schouder terwijl tante Karen haar naar binnen sleepte.
Ik zakte – nog steeds giechelend – terug in de stoel.
'Je bent heel erg stout geweest, meisje. Het is helemaal niet grappig,' zei opa streng.
'Ik weet het,' antwoordde ik. Ik drukte Melissa dicht tegen me aan en begroef mijn neus in haar zijdezachte haar.
Ik hield op met giechelen. In plaats daarvan begon ik te snikken.
'O, Emma! Kom op, schat. Ik wilde je niet aan het huilen maken,' zei opa met een klopje op mijn knie.
'Ik maak *mezelf* aan het huilen, opa. Je bent zo lief voor me geweest. Je hebt deze reis speciaal georganiseerd. Ik heb het allemaal verknald. Dat doe ik altijd. Het lijkt alsof ik daar niets aan kan doen. En zelfs al *zijn* Alice en ik nog steeds beste vriendinnen, we kunnen elkaar nu nooit meer zien. Wat moet ik *doen*?' Ik begon nog harder te huilen. 'Ik weet dat ze ook Flora's beste vriendin is.'
'De beste vriendin van die Oude Taart?' zei opa.
Ik proestte door het snikken heen.
'Niet dat het om te lachen is,' zei opa. 'Als je moeder dit te horen krijgt, zal ze je ophangen en vierendelen, Emma.'
'Je gaat me toch niet verklikken, hè, opa?'
'Wat denk je wel niet van me?' vroeg opa. 'Ik ben geen verklikker. Luister eens, Em, schat. Misschien heeft Alice gelijk. Jij blijft nog steeds haar absoluut enige echte ware beste vrien-

din, maar ze heeft Taartkop Flora als dagelijks vriendinnetje. En dat is handig. Misschien moet je blij zijn dat jij ook een dagelijkse vriend hebt.'
Ik keek naar opa en knipperde met mijn ogen. 'Wie dan?'
Opa schudde zijn hoofd. 'Wie *denk* je? Kom op, Emma. Met wie heb je het het leukst?'
Ik wist waar opa naartoe wilde. Maar ik was niet in de stemming om leuk te doen.
We waren vroeg terug in ons pension zodat we voldoende konden slapen voor de lange tocht naar huis de volgende dag.
Ik sliep die nacht *heel slecht.*
Opa praatte serieus met me voor we mevrouw Cholmondly gingen ophalen. Ze had een vreemde naam. Je schreef Chol-mond-ly, maar om een of andere vreemde reden moest je dat uitspreken als Chumly.
'Je gaat je *extreem goed* gedragen tegenover mevrouw C.,' zei opa. 'Eén klacht van haar en ik ben mijn baan kwijt. Die mevrouw C. is een droevige oude dame. Ze heeft bovendien haar knie bezeerd. Dus waarschijnlijk heeft ze veel pijn en voelt ze zich zenuwachtig en ongerust. Misschien doet ze een beetje kortaf of bits tegen ons. Maar je mag *niet* zo tegen haar terugdoen. Je moet proberen begrijpend te zijn. Eigenlijk ben je een lieve kleine meid. Ik weet dat je je best zult doen.'
Opa keek zo bezorgd dat ik mijn armen om zijn nek sloeg.
'Maak je geen zorgen, opa. *Jij* bent een bijzonder lieve grote man omdat je mij helemaal hiernaar toe hebt gebracht. Vooral nu ik het verknald heb. Ik zweer dat ik lief zal zijn tegen mevrouw Chummywatsie. Je baan loopt geen gevaar. Dat zweer ik.'
De hele weg naar huis had ik *zin* om iets anders te zweren.

Mevrouw Cholmondly was helemaal niet aardig.
Opa haalde haar op om *klokslag* negen uur de volgende ochtend, maar ze begroette hem bijzonder fel. 'Zo. Daar bent u dan *eindelijk*! Ik zit hier maar te wachten. Dat kan toch niet. Vooruit. Schiet maar op, nu u er eindelijk bent. Ik heb een hoop bagage.' Ze wachtte even om op adem te komen en toen zag ze mij naast de auto staan.
'Shhht, kind, shhht!' riep ze, terwijl ze vervaarlijk met haar kruk naar me zwaaide. 'Waag het niet die glimmende auto te bekrassen.'
'Het is in orde, mevrouw,' zei opa snel. 'Dat is mijn kleindochter. Ze rijdt met ons mee.'
Mevrouw Cholmondly bonkte met haar andere kruk op de grond en helde zo ver over dat opa haar moest vastgrijpen. Ze schudde hem woedend van zich af.
'Ze rijdt in geen geval met *mij* mee. Ik betaal geen buitenspo-

rig bedrag om uw halve familie gratis ritten te bezorgen.'
Ik keek opa hulpeloos aan. Wat moesten we *nu* doen? Misschien had ik me in de achterbak moeten verstoppen, want deze Oude Heks deed akelig moeilijk.
Maar als opa wilde, kon hij Meneer Gladjes zijn. 'Ik heb Emma speciaal meegebracht, mevrouw. Ik dacht dat ze misschien nuttig zou blijken. Onderweg zullen we een paar keer stoppen, dacht ik. Dan kan ze dingen voor u halen en dragen en u begeleiden naar de toiletten. Ze is hier alleen maar om uw rit zo aangenaam mogelijk te maken.'
Opa glimlachte naar mevrouw Cholmondly. Haar gepoederde wangen en strakke kleine mond bewogen lichtjes, alsof ze overwoog ook te glimlachen. Zover ging ze niet, maar met een dwingende zwaai van haar kruk, nodigde ze me uit om naast haar te komen staan.
'Vooruit dan, kind. Pak mijn arm en maak jezelf nuttig. Je kunt me de auto in helpen. Maar je moet ontzettend voorzichtig zijn. Raak mijn arme knie niet aan, want die doet afgrijselijk veel pijn.'
Tegen het eind van de rit had ik zin om haar hele been eraf te rukken. Ze zeurde en jammerde en klaagde aan één stuk door. Ze nam de grote achterbank bijna helemaal in beslag, zodat ik opgepropt tegen het raam zat. Ik kon nauwelijks bewegen. Maar ze duwde tegen me aan om nog meer plaats te maken voor haar arme knie. Ik maakte plaats voor wel honderd olifantenknieën. Maar protesteerde ik? Nee. Er kwam geen enkele klacht over mijn lippen. Zelfs niet toen ze haar vieze zwarte oude-dames-schoenen met knopen uitschopte en haar vreselijk knobbelige oude-dames-voeten pal in mijn gezicht flapte. En toen we bij het benzinestation stopten, moest ik haar hel-

pen om haar wrattige tenen terug in haar schoenen te proppen. Daarna kreeg ik de meest afschuwelijke taak van allemaal – ik moest mevrouw Cholmondly het toilet in en uit helpen.
'Ah, zo'n lief meisje dat haar oma helpt!' kirde een dame.
Ik wilde het hoofd van die 'oma' graag in de toiletpot stoppen en doorspoelen. Maar in plaats daarvan glimlachte ik schaapachtig.
We reden verder, kilometer na kilometer. We stopten heel vaak omdat mevrouw Cholmondly een blaas als een erwt leek te hebben. We aten een paar keer. Mevrouw Cholmondly klaagde bitter over de kwaliteit van het eten en knoeide soep over haar enorme boezem. Ik moest servetten voor haar halen en haar helpen om het af te vegen. Ik zei *nog steeds* geen woord.
'Ben je je tong kwijt?' vroeg mevrouw Cholmondly. 'Je bent niet erg spraakzaam, kind. Ik houd van een meid met een beetje pit.'
'O, zo is onze Emma niet. Ze is een verlegen klein ding. Zo goed als goud,' zei opa. Toen kreeg hij een hoestaanval. *Misschien* was hij aan het lachen.
Toen we eindelijk de vreselijke Oude Heks afleverden bij het huis van haar arme dochter, rommelde ze in haar tas op zoek naar haar portemonnee.
'Hier, kind. Dat is voor je hulp tijdens de rit,' zei ze.
Ze duwde twintig cent in mijn hand. De prijs van welgeteld één van die vreselijke bezoeken aan het toilet!
'Trek het je niet aan, liefje. Mij heeft ze helemaal niets gegeven,' zei opa. 'Wel, Em, deze tocht was een leerrijke ervaring voor ons allebei. En ik heb iets ontdekt op de terugweg. Ik weet niet zeker of ik je wel zo leuk vind als een braaf klein meisje. Je bent veel gezelliger als je stout bent.'

Opa klikte niet tegen mama over het incident met de taart. Maar ze kon wel zien dat het bezoek niet helemaal succesvol was geweest. Mama en papa en Max en Jasper waren erg tactvol. Ze stelden me geen vervelende vragen. Zelfs Dolle Hond draaide schuchter en vol medeleven rondjes om mijn benen. Hondentact.

De aanpak van Koekie was directer. Zodra ik maandag op school arriveerde, kwam hij op mij af gesneld.
'Hoe was het, Emma? Wat vond Alice van haar taart? Was hij lekker?'
'Ik weet het niet,' zei ik. 'Ik had ontzettend veel zin om hem te proeven, maar dan had ik hem van Flora's gezicht moeten likken. En daar had ik geen zin in.'
Koekie knipperde met zijn ogen. 'Wie is Flora? De taart was voor Alice.'
'Ja. Precies. Alleen kreeg dat beroerde kind, die Flora, het taartmes te pakken. Ze deed alsof de taart van haar was. Dus heb ik haar gezicht erin geduwd.'
Koekies mond viel open. 'Je bent *onmogelijk*, Emma!'
'Ik ben het nooit *van plan*. Het gebeurt gewoon. En het is stom, want ik verknal alles. Alice en ik hebben onze verjaardagswens niet gedaan. Ik denk dus dat we niet voor altijd beste vriendinnen kunnen blijven.'
'Dat kan wel. Tim en ik zijn geweldige vrienden en toch zien we elkaar alleen op vakantie.'
'Alices moeder zou me nog in geen miljoen jaar met hen mee op vakantie laten gaan.'
'Ik durf te wedden dat die moeder van Flora dat ook niet echt zou willen! Je bent een *eng* meisje.'

'Koekie... je bent toch niet bang voor mij, of wel?'
'Tuurlijk wel, kijk maar. Ik sta te trillen op mijn benen,' antwoordde Koekie en hij waggelde rond. 'Jij bent het meisje dat me tot in de jongenstoiletten achtervolgde om me in elkaar te slaan!'
'Ik bedoelde het niet echt zo. Dat *denk* ik in ieder geval niet. Ik werd gewoon een beetje gek op dat moment.'
'Jij wordt *altijd* een beetje gek. Maar dat maakt niet uit. Niemand is perfect.'
'Jij gedraagt je meestal nogal perfect. Hoe komt het dat je altijd zo *aardig* bent, Koekie?'
'O, dat is gewoon mijn karakter,' antwoordde Koekie grinnikend.
'Ik wil het niet verknallen en je arrogant maken, dus ik houd mijn mond maar. Zullen we onze presentatie oefenen? Jij bent Dikke Larry, zoals afgesproken. En ik lees de recepten voor terwijl jij ze maakt. Oké?'
'Ik heb een beter idee,' zei Koekie. 'We zijn *allebei* Dikke Larry. Kom na school naar mijn huis. En breng je opa mee – mijn oma heeft hem speciaal uitgenodigd. Wacht maar tot je ziet wat mijn moeder voor je heeft!'

Zeventien

De moeder van Koekie had speciaal voor mij een smaragdgroen Dikke Larry-glitterpak gemaakt! Ik hield het tegen mijn borst en danste ermee rond. De lege groene mouwen sloeg ik om mijn nek.
'O, mevrouw McVitie! Het is prachtig! U hebt het speciaal voor me gemaakt. U bent *zo* lief.'
'Billy wilde graag dat jij ook een Dikke Larry-pak had, zie je. De stof had ik toch al. Ik heb er meters en meters van gekocht, want mijn Billy is een kerel die snel groeit. En ik kan echt niet altijd bijhouden welke maat hij heeft. Het heeft me helemaal geen tijd gekost om ook een minipak voor jou te maken. Ik heb er een kussen ingenaaid als extra vulling rond je buik. Je bent slanker dan de McVities!'
Ik gaf haar een dikke knuffel. Opa zei tegen haar hoe dankbaar hij was. Mevrouw McVitie maakte voor Koekie en mij speciaal aardbeienroomijs met limonade. Het ijs aten we met lange zilveren lepels en daarna slurpten we de limonade door rode rietjes. De oma van Koekie maakte een kop thee voor opa en gaf hem een plak van haar eigen zelfgemaakte zandkoek. Miljonairskoek noemde ze het. Opa zei dat geen enkele miljonair ooit lekkerder had gegeten. Hij smakte met zijn lippen en maakte enthousiaste *mmmm*-geluiden. Het klonk alsof hij iemand kuste. De oma van Koekie giechelde als een meisje. Net alsof hij haar had gekust.

Koekie en ik kregen natuurlijk ook een plak zandkoek. We aten snel (maar met plezier) en we likten de chocola van onze lippen. We pakten onze schitterende glitterpakken en trokken ons terug in de tuin om onze Dikke Larry-show te oefenen.

We werkten er dag in dag uit aan. We keken telkens opnieuw naar de video's van opa, tot we de Dikke Larry-glimlach, zijn springerige manier van lopen en zijn stopwoordjes perfect konden imiteren. We snuffelden in de Dikke Larry-kookboeken van Koekie en we kozen onze recepten met het water in de mond uit.
Ik had wilde ideeën over een kampvuurtje zodat we pannenkoeken konden bakken in de klas. Maar toen ik het daar met mevrouw Watson over had, rolde ze met haar ogen bij het idee alleen.

'Het is waarschijnlijk een uitstekende manier om de efficiëntie van de schoolbrandblussers te testen. Maar ik denk niet dat mijn zenuwen ertegen bestand zijn, Emma!'
'Maakt u zich geen zorgen, mevrouw Watson. Ik ga niet koken, maar Koekie.'
'Hij maakt bijna net zo makkelijk ongelukken als jij! En als jij binnen een straal van honderd meter van een kampeervuurtje bent, weet ik zeker dat het spontaan zal ontploffen.'
'U geeft me nooit het voordeel van de twijfel, mevrouw Watson.'
'Inderdaad niet, Emma.' Mevrouw Watson hield haar hoofd schuin. 'Wat zijn jij en Koekie precies van plan?'
'We bekokstoven iets heel speciaals!' zei ik en ik begon te lachen. 'Maar ik beloof u dat we niet echt zullen koken op het schoolterrein.'

Barry Baxter had een fantastische presentatie gehouden. Hij was gebaseerd op *Blue Peter*, een tv-show die al jaren bestond, uit de tijd dat mama en papa daarnaar keken. Barry bracht het allemaal heel serieus, maar hij had ook grappige stukjes. En hij maakte iedereen aan het lachen toen hij het had over de ondeugende babyolifant.
Ik lachte ook, maar ik maakte me zorgen. Het leek erop dat Barry de wedstrijd glansrijk zou winnen. De rest van de klas bood niet veel concurrentie. Ik was zo blij dat Koekie me had overtuigd om niet als Michael Owen te gaan. Er waren zoveel voetballers dat ik mezelf wel zou geschopt hebben. Een half dozijn kinderen koos Harry Potter als held. Ze vertelden allemaal dezelfde Potterlarie tot we bijna Pottie werden. Er was ook muziek: jongensbands en meisjesgroepen die allemaal de-

zelfde oude rommel brachten.
Ik had mevrouw Watson gesmeekt of we ons project meteen na de pauze mochten presenteren, zodat we tijd hadden om alles klaar te zetten. We waren zo druk met de voorbereiding dat we geen tijd namen om te eten. Dat was uniek. Voor ons allebei.
'Geeft niet. We krijgen straks onze portie wel,' zei Koekie die alle spullen uit zijn rugzak haalde.
'Waag het niet om een toffee te stelen, Emma, anders hebben we er niet genoeg om uit te delen.'
'Gewoon even likken,' zei ik om hem te plagen. Toen keek ik op de klok in het lokaal. 'Snel! De bel kan ieder moment gaan. We moeten ons pak aantrekken.'
We trokken onze smaragdgroene glitterpakken aan over ons schooluniform. Ik kamde mijn haar naar achteren, achter mijn oren. We krabbelden allebei met een zwarte viltstift een Dikke Larry-snor boven onze lippen. Toen rolden we met onze wenkbrauwen in de stijl van Dikke Larry.
'We zien er *goed* uit,' zei Koekie.
'Beter dan goed. We zijn de *besten*,' zei ik.
De kinderen begonnen te schaterlachten toen ze de klas binnenkwamen en twee identieke Dikke Larry's zagen in groene glitterpakken. Zelfs mevrouw Watson lachte tot de tranen over haar wangen rolden.
'Jullie twee!' hijgde ze. 'O, Emma, Koekie!'
Koekie en ik schudden van nee.
'We zijn niet Emma en Koekie,' zei ik. 'We zijn Dikke Larry's.'
Ik knikte naar Koekie. Hij knikte naar mij.
'Hé, jullie daar!' zeiden we met de vriendelijke zware stem van Dikke Larry.

'Tijd voor Dikke Larry. Hij gaat jullie buiken v-e-r-w-e-n-n-e-n!'
Koekie wreef over zijn dikke buik. Ik wreef over mijn kussen.
En we deden de Dikke Larry-schuifelpas: stap, tap, stap, tap, stap, tap, gooi dat been opzij. Ik stapte en tapte en zwaaide met mijn linkerbeen en Koekie stapte en tapte en zwaaide met zijn rechterbeen. Het leek of we spiegelbeelden waren.
'Hé, jongens. Jullie zien er een beetje sip uit. We zullen iets klaarmaken om jullie op te vrolijken,' riepen we in koor.
Koekie haalde een pan en een houten lepel tevoorschijn. Mevrouw Watson begon zenuwachtig te schuifelen.
'Emma, ik heb gezegd dat jullie *niet* mochten koken,' siste ze.
'Rustig maar, mevrouwtje,' zei ik uitdagend in de stijl van Dikke Larry. 'Er wordt niet echt gekookt.'

Iedereen keek reikhalzend toe om te zien hoe mevrouw Watson zou reageren.
'Oké, Dikke Larry. Voor een keer zal ik kalm blijven,' antwoordde ze, en iedereen giechelde.
Ik las het recept van de super-plakkerige-jammie-toffees voor en Koekie roerde met de lepel in de pan en deed alsof hij echt kookte. Toen hield hij de speelgoedklok van baby Polly omhoog en draaide de grote wijzer rond om te laten zien dat de tijd verstreek. Intussen haalde ik de grote doos met toffees tevoorschijn die we hadden gemaakt. We lieten de doos rondgaan en iedereen nam er een. Zelfs mevrouw Watson.
'Goed gedaan!' mompelde ze onduidelijk, want haar tanden plakten aan elkaar van de toffee.
'En dat is nog maar het voorgerecht!' zei ik.
'Wacht tot je ons hoofdgerecht ziet!' voegde Koekie eraan toe.
'Zeer toepasselijk,' zei ik terwijl Koekie terugliep naar zijn zogenaamde keuken voor in de klas. 'Dikke Larry's speciale chocoladekoekietaart!'
Ik las het recept voor met de stem van Dikke Larry. Ik smakte daarbij met mijn lippen en zei af en toe 'jammie-jammie'. Koekie mengde zogenaamd zijn ingrediënten en stopte daarna zijn 'taart' in de kast waarop we snel KOELKAST hadden geschreven. Ik liet Polly's klok snel vooruitdraaien en Koekie haalde met een zwier de echte chocoladetaart uit de kast. Iedereen klapte en juichte toen Koekie zijn mes pakte en de taart in dertig dikke stukken sneed.
Koekie bewaarde een stuk met extra kersen voor me. De lekkerste kers op onze taart kwam bovendien van mevrouw Watson. Ze kondigde aan dat we de wedstrijd voor het beste project hadden gewonnen. Barry eindigde op de tweede plaats.

Koekie beloofde als troostprijs een speciale *Blue Peter*-taart voor hem te bakken.
'Waarom bak je geen taart voor mij?' vroeg ik.
'Daar werk ik aan. Een speciale taart voor jou,' antwoordde Koekie. 'Nog een paar weken geduld.'
Ik wist wat hij bedoelde. Hij wilde een taart bakken voor mijn verjaardagsfeest. Er was maar één probleem. Ik *wilde* dit jaar geen verjaardagsfeest. Alle gebakken worstjes, alle broodjes met eiersalade en alle koekjes zouden me verschrikkelijk aan Alice doen denken. Ik kon de gedachte aan een andere verjaardagstaart niet verdragen, maar Koekie leek zo blij met het idee, en ik wilde hem niet teleurstellen.
Ik zei het tegen mama en papa (zonder hen te vertellen wat er was gebeurd met mijn laatste verjaardagstaart!).
'Wat denk je van een verjaardagsetentje, in plaats van 's middags worstjes en broodjes?' stelde papa voor. 'Je kunt je lievelingseten kiezen.'
'Geen spaghetti bolognese!' zei mama meteen. 'Bovendien, ik denk niet dat ik voor iedereen een echte maaltijd kan klaarmaken na een hele dag werken.'
'Mam, ik zeg het al tijden. Ik wil niemand uit mijn klas uitnodigen voor een feestje,' onderbrak ik haar. 'Misschien alleen Koekie. Maar niemand anders. Alleen familie.'
'Max zal Ayesha willen uitnodigen. Opa komt natuurlijk ook. En wat dacht je van de familie van Koekie? Het wordt tijd dat we hen een keer uitnodigen. Zijn moeder en zijn vader. En er is een babyzusje, niet?'
'En zijn oma June! Die mogen we zeker niet vergeten,' zei opa.
'Dat komt op tien-en-een-half,' zei mama. 'Waar moeten al die

mensen zitten? En wat moet ik klaarmaken? O jee, was mevrouw McVitie maar niet zo'n geweldige kok.'
'Ze haalt het niet bij haar moeder,' voegde opa eraan toe. Hij smakte met zijn lippen bij de herinnering.
'Pizza!' riep papa. 'We eten afhaalpizza's in de tuin. Met bier voor de mannen, wijn voor de vrouwen en cola voor de kinderen. Simpel! We eindigen met de taart van die jongen en dan zingen we allemaal *Lang zal ze leven* voor Em. Zou je dat willen, schat? Je bent er ontzettend stil van geworden.'
Ik had een brok in mijn keel alsof ik een steen had ingeslikt. Ze deden zo hun best om lief tegen me te zijn en me een speciale verjaardag te bezorgen. Maar dat zou niet lukken. Het was niet wat ik wilde.
Ik wilde mijn verjaardag met Alice delen, zoals we dat altijd hadden gedaan.
Papa keek me vol verwachting aan. Ze keken me allemaal aan. Ik moest rekening houden met wat *zij* wilden.
Ik slikte heel heel heel hard en raakte de steen kwijt. 'Pizza's in de tuin klinkt super,' zei ik. 'Jammie, jammie.'
Mijn stem piepte vreemd en ik moest hard knipperen om niet als een baby in tranen uit te barsten.
'Het wordt een geweldige verjaardag,' mompelde ik en ik stormde de trap op. Ik sloot mezelf op in het toilet zodat ik in mijn eentje kon huilen.

Achttien

Op mijn verjaardag werd ik heel vroeg wakker. Ik zwaaide naar Melissa die in volle glorie in haar onderjurk op mijn vensterbank zat. Ze zwaaide terug met haar stijve witte arm. Ik schopte mijn dolfijnendekbed weg en bleef op mijn bed liggen, met mijn armen en benen wijd gespreid.

'Gefeliciteerd,' fluisterde ik tegen mezelf. En toen: 'Gefeliciteerd, Alice.'

Ik stak mijn rechterduim en -pink uit en deed of ik telefoneerde. 'Lang zullen ze leven, lang zullen ze leven, lang zullen ze leven in de gloria,' zong ik zachtjes.

Ik hoorde een snuffelend geluid buiten aan mijn deur. Dolle Hond kwam binnen om me een verjaardagslik te geven. Ik gaf hem een klopje en voelde iets onder zijn halsband hangen. Het was een doosje smarties, met een briefje: '*Gefeliciteerd, woefwoef, met je verjaardag. Liefs van Dolle Hond.*' Zijn handschrift leek heel erg op dat van Jasper: grillige hanenpoten. Ik gaf Dolle Hond een dikke knuffel en we deelden mijn verjaardagstraktatie: eentje voor mij, eentje voor hem...

'Wat is dat allemaal?' vroeg mama die in haar ochtendjas binnenkwam. 'Je weet dat Dolle Hond geen smarties mag eten. Let maar op dat je moeder het niet ontdekt, anders krijg je grote moeilijkheden!'

Ik giechelde en Dolle Hond kwijlde.

'Gefeliciteerd, Emma schat,' zei mama met een kus.

Ze gaf me een pakje in roze zijdepapier met een bolletjeslint eromheen. Ik schudde ermee en probeerde te raden wat het kon zijn.
'Voorzichtig!' zei mama.
Ik zag het woord MAKE-UP vaag door het roze papier schijnen. O, help. Het zag ernaar uit dat mama mijn wens om meisjesachtiger te worden serieus had genomen. Ik probeerde te glimlachen terwijl ik het zijdepaper openscheurde. Toen begon ik echt te glimlachen, een grote grijns van oor tot oor. Er zat geen gewone roze lippenstift in. Geen poederdoos voor meisjes. Het was een doos *toneel*make-up, met allerlei felle kleuren: blits oranje en vuurrood, wild groen en grijs en diepblauw. Ik staarde naar de kleuren en zag mezelf al als de Hulk, Spiderman, Dracula en de Leeuwenkoning... Een eindeloze reeks sterrenrollen. Er was zelfs een zwarte stift bij, waarmee ik een geweldige Dikke Larry-snor kon tekenen.
'O, mam, super!' riep ik. Ik rende naar de spiegel en begon te experimenteren.
'Hé, hé, je hebt je zelfs nog niet gewassen!' zei mama.
'Nee, maar ik moet me *hierna* toch wassen?' antwoordde ik.
Ik kwam naar beneden voor mijn verjaardagsontbijt als een bloeddorstige vampier. Ik had een krijtwit gezicht, paarse ogen en het bloed droop van mijn kin. Mijn schooluniform verknalde het effect een beetje, dus hing ik een laken om me heen. Ik hoopte dat het eruitzag als een lijkwade. Iedereen deinsde achteruit. Erg bevredigend! Mama bakte pannenkoeken als speciale verjaardagstraktatie (ze weigerde mijn hulp). Ik smeerde aardbeienjam op de mijne en deed alsof het bloed was.
Ik keek hoopvol rond op zoek naar cadeautjes, hoewel ik tien

minuten later weer in een meisje moest veranderen om naar school te gaan. Max zag mijn ogen heen en weer flitsen.
'Goed, goed. Mijn cadeau staat in de hal,' zei hij.
Het was een fiets. Een eigen fiets.
'O, Max, je bent fantastisch! Een nieuwe fiets!'
'Ja. Ik ben *echt* fantastisch, maar het is geen nieuwe, sukkel. Het is de oude fiets van Ayesha. We hebben hem uit elkaar gehaald en opgeknapt voor jou. Vind je hem leuk?'
'Geweldig,' zei ik. Ik klom op de fiets en probeerde hem ter plekke uit.
'Emma, kom van die fiets af! Kijk uit voor het tapijt en de muren!' gilde mama.
'Maak je geen zorgen, mama. Ik weet wat ik doe,' zei ik en ik haalde mijn handen van het stuur.
Maar toen gooide de postbode een stapel brieven door de brievenbus naar binnen. Ik schrok. Mijn nieuwe fiets zoefde door de gang. Ik slaagde er niet in hem onder controle te houden.
'Kijk uit voor de verf!' schreeuwde mama.
'O, Em! Verknoei die fiets niet voor je er zelfs maar een ritje mee hebt kunnen maken!' riep Max.
Ik controleerde de fiets *en* de verf. Voor één keer had ik geluk. Alles was onbeschadigd. Ik ging zorgvuldig door de brieven heen. Rekeningen, meer rekeningen, verjaardagskaarten van oude tantes en neven. Maar niet de kaart waar ik naar zocht.
Ik ging opnieuw door de post. Misschien had ik iets gemist. Maar ik zou het handschrift van Alice vanaf de andere kant van de kamer herkennen. Ik had *haar* wel een verjaardagskaart gestuurd. Ik had hem zelf gemaakt: een collage met foto's van elke verjaardag die we ooit samen hadden gevierd. Tot en met onze allereerste verjaardag aan toe, waarbij we naast elkaar

zaten in hoge stoelen, met onze eerste verjaardagstaart. Alice likte voorzichtig aan het glazuur. Bij mij hing de taart tot in mijn haar. En ik gilde omdat ik nog een stuk wilde.
Ik had ballonnen en verjaardagstaarten uit de tijdschriften van mama geknipt en ze overal tussen geplakt. Daarna had ik een rand van zilveren sterren om mijn collage heen gemaakt. Toen ik klaar was, was het geheel een beetje plakkerig en loodzwaar. Maar ik hoopte dat Alice het leuk zou vinden. En ik hoopte dat ze haar cadeautje ook leuk zou vinden. Ik had het in een catalogus van mama gevonden: een donzig roze kussen in de vorm van een hart. Heel heel roze en heel heel donzig. Ik dacht dat het perfect bij de nieuwe kamer van Alice zou passen. Het was ook heel heel duur voor iemand zonder enig spaargeld. Maar ik mocht bij mama een rekening openen, zodat ik het wekelijks kon afbetalen. Het zou me al mijn zakgeld kosten – weken en wekenlang. Bijna tot onze volgende verjaardag. Maar dat was het waard.
Ik probeerde het me niet aan te trekken dat Alice me niets had gestuurd, zelfs geen kaart. Maar ik moest toch een beetje huilen toen ik mijn vampierengezicht wegschrobde. Ik kon het niet helpen. Maar misschien was het omdat ik zeep in mijn ogen kreeg.
'Waar is de vampier naartoe?' vroeg Jasper, toen ik de badkamer uitkwam.
'Het is ochtend. Het is licht, dus hij is weggevlogen,' snoof ik, terwijl ik mijn ogen droogde.
'Jammer. Hier is een verjaardagscadeau dat hij leuk zou vinden,' zei Jasper. Hij stopte een glanzend zwart papieren pakje in mijn handen.
Toen ik het open scheurde vond ik een zwarte, plastic porte-

monnee. Er stonden vliegende vleermuizen met lange tanden op.
'Dank je, Jasper. Dat is een coole portemonnee,' zei ik.
'Doe maar open,' zei Jasper, terwijl hij de badkamer inliep voor zijn tien-seconden-was-en-poetsbeurt.
Doe maar *open*? Ik deed de portemonnee open – en vond binnenin een briefje van twintig pond!
'Jasper!' Ik hamerde op de deur.
'Wat?'
'Jasper, kom naar buiten. Ik wil je een knuffel geven.'
'Geen sprake van. Ik blijf hier zitten.'
'O, Jasper, waarom ben je dit jaar zo vrijgevig? Normaal ben je echt gierig als het op cadeautjes aankomt.'
'O, heel erg bedankt, mevrouw Tact en Diplomatie! Maar eigenlijk ben ik niet zo vrijgevig, hoor. Die portemonnee heb ik gratis gekregen bij mijn tijdschrift – en het geld heb je gewoon verdiend.'
'Verdiend?'
'Al die vreselijke karweitjes die je voor me hebt opgeknapt om mijn computer te mogen gebruiken. Ik begon me daar slecht bij te voelen en gemeen. Je mag hem gebruiken wanneer je wilt, Em.'
Het maakte nu niet veel meer uit. Ik was er honderd procent zeker van dat die Taartkop geen zin had om mijn berichten door te geven.
Ik voelde me eenzamer dan ooit naast de lege stoel op school. Maar ik kon me gelukkig nog wel omdraaien en met Koekie praten. Hij gaf me een geweldige verjaardagskaart van een dikke jongen aan een enorme tafel waarop honderden taartjes lagen. Taarten met glazuur, met slagroom, met kwark – alle

soorten taarten die je maar kon bedenken. In iedere hand hield hij een moorkop en – met een gezicht dat straalde van geluk – nam hij van elk een hap. Voor op de kaart stond: IK HOU VAN TAART. En binnenin had Koekie geschreven: *maar ik hou nog meer van jou.*
'O, Koekie,' zei ik blozend.
'Wat heb je Emma gegeven, Koekie?'
'Waarom wordt ze zo bloedrood?'
'Laat ons eens zien wat hij heeft geschreven, Em!'
'Verstop het, snel,' zei Koekie, die zelf bietrood kleurde.
Ik stopte de kaart in mijn schooltas terwijl mevrouw Watson in haar handen klapte en zei dat iedereen rustig moest gaan zitten. Een of andere idioot probeerde mijn schooltas te pakken, dus ik sloeg hem er hard mee.
'Emma!' riep mevrouw Wilson. 'Doe jij nu ook eens rustig, anders krijg je problemen. Zelfs al is het je verjaardag. Dat doet me eraan denken!' Ze legde een envelop op mijn tafel.
Mevrouw Watson had een speciale verjaardagskaart voor me!

Er stond een foto op van een bijzonder strenge, ouderwetse leraar met een baret en een stok. Hij zei: 'Gedraag je!'. Binnenin had mevrouw Watson geschreven: *Ik wens je een heel prettige verjaardag.* Daarbij had ze een tekening van zichzelf gemaakt met een lachend gezicht.
Het was natuurlijk een doodgewone schooldag met dezelfde saaie lessen als altijd. Maar tijdens de pauze hielden Koekie en ik een wedstrijd: hoe-snel-kun-je-een-reep-chocola-achter-elkaar-opeten. En ik won! De tanden van Koekie bijten beter dan de mijne. Dus ik denk dat hij opzettelijk langzaam kauwde om me te laten winnen.
Toen de bel ging, stond opa mij bij de schooldeur op te wachten. Hij gaf me niet zomaar een verjaardagsknuffel. Hij tilde me op en zwierde me in het rond. Hij hijgde wel een beetje toen hij me weer neerzette. Daarna raapte hij mijn verjaardagscadeau op van de stoep. Het was het *Speciale supermakkelijke kookboek voor beginners* van Dikke Larry.
'Je vindt het toch niet erg als ik het af een toe een keertje leen, hè, Em?' vroeg opa. 'Ik ben van plan iemand uit te nodigen voor een etentje en ik kan wat hulp gebruiken. Vooral omdat de dame in kwestie een uitstekende kok is.'
'Wie mag dat wel zijn, opa?' vroeg ik giechelend.
'Zeg, dat ga ik je niet verklappen!' antwoordde opa.
'Is het misschien iemand die je straks ook op mijn verjaardagsetentje zult zien?' vroeg ik. 'Een ouder familielid van mijn vriend Koekie?'
'Zeg, zeg. Hoezo "*ouder*"? De dame is in de bloei van haar leven,' antwoordde opa.
We gingen niet naar het huis van opa. We liepen naar mijn huis om alles klaar te maken voor mijn verjaardagsetentje.

Mama was nog op haar werk en Max en Jasper waren nog niet terug van school. Maar papa was er wel en hij riep ons vanuit de tuin. Hij had snel het gras gemaaid en de tuinstoelen neergezet en een geborduurd tafelkleed over de mossige oude tafel gelegd. Een ander oud tafelkleed hing over een groot en log ding boven in de boom.
'Jeetje, wat is dat, papa?' vroeg ik. 'Een etensbak voor gigantische arenden?'
'Dat is mijn verjaardagsverrassing voor jou, Em,' antwoordde papa.
Hij ging op zijn tenen staan en trok met een zwaai het kleed weg, zoals een stierenvechter doet met zijn cape. Het was de boomhut! Een absolute schoonheid. Met een keurige touwladder en een deuropening met een boog en een echt dak.
'O, papa, dit is zo cool!' riep ik verbaasd.
Er hing een bordje onderaan de boom: EMMA'S BOOMHUT.
Ik vloog meteen de ladder op. Binnen op de houten planken had papa een groot dik kussen gelegd en er stond een rekje voor mijn lievelingsboeken.
Ik kon het niet helpen, maar ik wenste even dat er *twee* kussens lagen. Ik deed heel hard mijn best om nu niet aan Alice te denken.
'Dit is de beste boomhut ooit – en jij bent de beste papa!' riep ik.
Ik wilde de hele middag in mijn boomhut blijven. Maar zodra mama rennend thuiskwam, stuurde ze me naar boven om een bad te nemen.
'En daarna kun je je feestjurk aantrekken. Ik heb je gele jurk gewassen en hij ziet er prachtig uit.' Mama pauzeerde even. Ze grinnikte. 'Wat een gezicht, Emma! Ik plaag je maar. Trek

je beste spijkerbroek aan en een schoon T-shirt. Oké?'
Max en Jasper moesten ook in bad en zich omkleden. En dat vonden ze niet echt leuk. Toen Koekie verscheen, zag hij eruit alsof ook hij net uit een gloedheet bad kwam. Hij leek extra glanzend-roze geschrobd in zijn twinkelende groene Dikke Larry-glitterpak. De moeder van Koekie had een roze jurk aan en zijn oma was gekleed in hyacintblauw. Zijn babyzus had een leuk paddestoeljurkje aan, felrood met witte stippen. En zelfs Koekies vader zag er kleurig uit met zijn paarse hemd en vuurrode das.
Het was een grote, felgekleurde, levendige familie. Ze vulden onze huiskamer tot de nok. Het was dan ook een opluchting toen we naar de tuin konden, nadat papa iedereen een drankje had gegeven.
Koekie gaf me een kleine Dikke Larry-handpop cadeau, met kort pluizig haar en een miniglitterjasje (geen broek, want hij had geen benen). Koekie liet hem rondspringen, met zijn armen zwaaien en zijn hoofd schudden – net zoals in zijn eigen Dikke Larry-show.
'*Vind je me leuk, Emma? Ben ik een goed verjaardagscadeau?*' vroeg de kleine Dikke Larry. Hij kietelde me onder mijn kin en gaf me een vriendelijke por met zijn pluizige kapsel.
'Ik vind je heeeel erg leuk, kleine Dikke Larry. Je bent een schitterend verjaardagscadeau,' antwoordde ik. 'Zeg alsjeblieft dank je tegen Koekie.'
'*Eigenlijk heeft Koekies moeder me grotendeels gemaakt. Maar hij heeft zelf mijn gezicht getekend,*' zei kleine Dikke Larry. '*En Koekie heeft de taart gebakken, helemaal alleen.*'
'Ik kan niet wachten om hem te zien,' antwoordde ik. Ik vroeg me af of het een taart in de vorm van Dikke Larry zou zijn. En

als dat zo was, of ik dan echt van groen suikerglazuur zou houden.
'Ik ga wel een beetje verderop staan. Ik wil niet dat je hem naar me gooit,' zei Koekie. 'Ik ken je, Emma.'
Eerst aten we pizza's die papa met de taxi ging halen. De volwassenen kregen behoorlijk saaie pizza's. Kleine Polly kreeg helemaal geen pizza. Alleen soepstengels (daar was ze dol op en ze gebruikte ze als drumstokken op haar kleine dikke buik).
Koekie en ik hielden een lange discussie en we bedachten een super-ideale-pizza: tomatensaus, drie kazen, champignons, maïs, tomaten, ananas, olijven, Frankfurterworstjes en kip.
'Zijn jullie zeker dat dat genoeg is, kinderen?' vroeg papa op sarcastische toon.
'Wel, misschien kan er nog salami bij. En ham. En wat paprika's?' antwoordde Koekie die hem serieus nam.
Hij schrokte zijn pizza op als een wolf. Zonder problemen. En hij hield vol dat hij nog ruim voldoende plaats had voor de ver-

jaardagstaart. Binnen in mijn buik had ik ook nog plaats, maar aan de buitenkant niet omdat er veel te weinig stoelen waren. Dus aten Koekie en ik onze rijkelijk belegde pizza's op in mijn boomhut. We zaten opgepropt in de kleine hut. Bij het eten moesten we onze armen tegelijkertijd omhoogsteken om makkelijker te bewegen.

Koekie nam een paar keer verstrooid een grote hap van mijn pizza en ook van de zijne.

Hij wilde mijn taart gaan halen en de kaarsjes zelf aansteken. Dus moesten we wringen en hijsen en trekken voor Koekie uiteindelijk uit de boomhut floepte – net een gigantische kurk uit een fles.

Ik wachtte op mijn verjaardagstaart. Mijn hart bonkte in mijn strakke T-shirt. Ik hoopte dat het geen chocoladeroomtaart zou zijn zoals ik voor Alice had gemaakt. Ik vond het vreselijk om daar nu aan te denken – en aan de verpeste wens.

Koekie droeg voorzichtig een grote schaal de tuin in. De kaarsen flikkerden. Het was een bruine taart, maar geen gewone chocoladetaart. Er zat een dakje op! Misschien had papa hem

een tip gegeven en was het een boomhuttaart?
Ik sprong op de grond om beter te kunnen kijken. Het was geen boomhut. De taart had de vorm van een ouderwetse waterput, schitterend versierd. Elke kleine baksteen was wit omlijnd en rondom de waterput stonden bloemen van glazuur. Kleine kikkers en konijnen en eekhoorns van marsepein dansten om de put heen. En op het dakje had Koekie in prachtige ronde letters van glazuur geschreven: *Gefeliciteerd Emma*.
'Het is een wensput,' zei Koekie. 'De grootste verjaardagswens krijg je als je de kaarsjes uitblaast. En bij elk stuk taart mag je nog een wens doen!'
'O, Koekie!'
Ik sprong naar voren. Koekie deed snel een stap achteruit. Hij keek zenuwachtig.
'Ik wil je alleen *bedanken*, sufferd!'
'Blaas eerst je kaarsjes maar uit. Ik wil niet dat er kaarsvet over mijn taart drupt. Het heeft me uren gekost om die bakstenen te maken.'
'Je bent een reuzekerel, Koekie – zo stevig als baksteen. Een echte vriend,' zei ik.
Ik haalde diep adem. Ik blies hard en toen al de kaarsjes een laatste keer flikkerden, deed ik mijn wens. Ik wenste dat Koekie en ik altijd goede vrienden zouden zijn – en dat Alice en ik toch ook, op een of andere manier, voor altijd beste vriendinnen konden blijven.
Ik wist dat het een halfverspilde wens was. Zeker nu Alice me zelfs geen verjaardagscadeau had gestuurd, maar ik kon er niets aan doen.
'Wat heb je gewenst?' vroeg Koekie, toen hij me de taart hielp snijden.

'Dat kan ik je niet vertellen, anders komt de wens niet uit,' zei ik met een grijns.
'Goed. Dan ga ik jou ook niet vertellen wat *ik* heb gewenst,' zei Koekie en hij grijnsde terug.
We aten allemaal van Koekies heerlijke taart. Zelfs Polly likte een beetje van het glazuur. En iedereen deed de ene wens na de andere.
Opeens hoorden we iemand aan de voordeur kloppen.
'Is mijn knappe donkere vreemdeling daar dan eindelijk?' zei mama lachend.
Papa mompelde afkeurend 'tututut' en deed alsof hij boos was.
'Nee, het is mijn blonde droommeisje,' zei hij. Ze schudden allebei hun hoofd en keken elkaar glimlachend aan.
De moeder en de vader van Koekie glimlachten ook naar elkaar. De oma van Koekie en opa glimlachten niet alleen – ze hielden elkaars hand vast!
Max en Ayesha slopen samen weg, ook hand in hand. Jasper trok een gezicht vol afgrijzen. Hij schudde pootjes met Dolle Hond en gaf hem wat taartkruimels.
Papa kwam door de tuindeur terug naar buiten met een kleine gewatteerde envelop in zijn hand. 'Het was de oude mevrouw Michaels van hiernaast. Dit kwam vanochtend met een speciale besteldienst. Ze heeft het voor ons in ontvangst genomen. Het is voor jou, Em.'
Er zat een Schotse poststempel op, maar ik herkende het handschrift niet. Ik scheurde de envelop open. Er zaten een pakje van zilverpapier en een verjaardagskaart in. Op de kaart stonden twee beren die elkaar omhelsden, een roze en een gele. *Gefeliciteerd*, stond erboven in roze en geel. En binnenin stond: *Veel berenknuffels*.

Daaronder had Alice zelf geschreven:

Heel heel heeeel veel knuffels, Em. Ik hoop dat je een heel heel leuke verjaardag hebt. Ik geef een feestje, maar het zal helemaal niet hetzelfde zijn zonder jou. Mama wilde dat ik Flora uitnodigde, maar ik vind haar niet meer zo leuk. Jij bent nog steeds mijn beste vriendin, zelfs al mag ik je niet meer zien. Maar papa zei dat hij je dit zou sturen in een speciaal pakje omdat ik je iets bijzonders wilde geven. Hij heeft me ook geholpen met het nieuwe gedeelte.
Heel en heel en heel en heel veel liefs van Alice xxx

Met trillende handen maakte ik het piepkleine pakje open. De zilveren bedeltjesarmband van Alice kwam tevoorschijn. Pal naast de ark van Noach hing een gloednieuw zilveren bedeltje in de vorm van een hart. Er stonden vier woorden op:

BESTE VRIENDINNEN VOOR ALTIJD

Meer lezen van Jacqueline Wilson?

Het verhaal van Tracy Beaker

Ik ben Tracy Beaker. Dit boek gaat helemaal over mij. Het is een ongelofelijk hartverscheurend verhaal. Echt waar. Als ik jou was, dan zou ik het zeker lezen.

Tracy is 10 jaar. Ze woont in een weeshuis, maar het liefst van al zou ze ooit in een echt huis wonen, met een echte familie. Ze is een ondeugende flapuit en vertelt in haar eigen woorden dit knappe, ontroerende en vaak grappige verhaal.

Het lef van Tracy Beaker

Ik dacht dat ik eeuwig gelukkig zou worden met Cam als pleegmoeder. Maar dat valt tegen! Wacht maar. Als ik straks bij mijn echte moeder woon, komt alles goed. Of durf jij soms te zeggen dat dat niet zo is?

Dit spannende verhaal is het vervolg op *Het verhaal van Tracy Beaker*, maar je kunt het heel goed lezen zonder dat je dat boek kent.
Het lef van Tracy Beaker is een leestip voor de Kinderjury 2006.

De tweeling

Niemand kan als een moeder voor ons zijn. Niemand, helemaal niemand. En zeker niet dat stomme warhoofd Linda met haar krulletjes.

Anna en Emma zijn een tweeling. Ze lijken als twee druppels water op elkaar, bijna niemand kan hen uit elkaar houden. Ze doen dan ook alles samen. Zeker nadat hun moeder drie jaar geleden is overleden. Maar plotseling verandert er heel wat in hun rustige leventje...

Pestmeiden

De bende van Kim mag wel uitkijken nu Tanya mijn vriendin is. Ze zal hen vast een lesje leren.

Mandy wordt op school al jaren gepest. Daarom is ze bijzonder trots wanneer Tanya haar vriendin wil zijn, want Tanya is hip en vrolijk en fel. Mandy's moeder is niet zo blij. Ze vindt Tanya niet geschikt als vriendin. Ze vindt haar gemeen en te oud en ze is bang dat Tanya een slechte invloed zal hebben op haar kleine meisje.

Mijn poes Mabel

Heb jij huisdieren? Mijn beste vriendin Sophie heeft vier jonge poesjes. Ik heb ook een huisdier. Een streepjespoes die Mabel heet. Ik hou verschrikkelijk veel van Mabel, maar ze is heel, heel, héél saai. Ze doet niets. Ze slaapt alleen maar.

Als Vera ontdekt dat Mabel dood is, voelt ze zich heel erg schuldig.

Slaapfeestjes

Ik kan geen slaapfeestje geven, want dan weten ze van Lily.
Ik hou mijn mond over mijn zusje Lily sinds ik naar deze nieuwe school ga. Ik wil niet dat iemand haar ooit nog uitscheldt.

Ik denk niet dat Eva Lily zou uitschelden. Anne en Bella ook niet. Maar van Carry ben ik niet zo zeker.

Dorien zit in een clubje vriendinnen, de geheime Alfabet-club. Maar of ze allemaal een echte vriendin zijn?

Ook leverbaar in de serie Rode Ruggen:

Nina Schindler *Paardengek*

Iedereen is hier gek van paarden. Je kunt het echt aan ze zien. Tante Inge heeft een gezicht als een paard, Jakob heeft een neus als een paard, Lena heeft manen als een paard en waarschijnlijk heeft oom Robert hoeven in plaats van voeten. Je kunt het alleen niet zien omdat hij schoenen aanheeft. Ik wil hier weg!!!!!!!!!!!!

Jenny baalt enorm. Ze moet de hele zomer logeren bij tante Inge en haar stomme paarden. Ze gaat een nare tijd tegemoet. Of toch niet? Want welk geheim verbergt de kamer op de eerste verdieping?